KB096707

프로이트『꿈의 해석』이론을 바탕으로 한 심리 추리소설

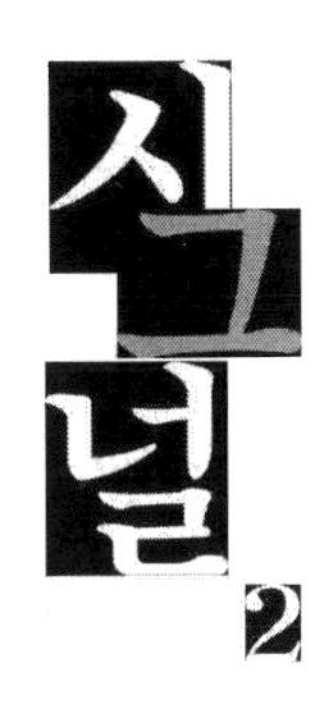

무의식이 보내는 신호

조승훈 장편소설

시그널 2

발 행 | 2023년 12월 19일
저 자 | 조승훈
펴낸이 | 한건희
펴낸곳 | 주식회사 부크크
출판사등록 | 2014.07.15.(제2014-16호)
주 소 | 서울특별시 금천구 가산디지털1로 119 SK트윈타워 A동 305호
전 화 | 1670-8316
이메일 | info@bookk.co.kr

ISBN | 979-11-410-5734-3

www.bookk.co.kr

프로이트 『꿈의 해석』이론을 바탕으로 한 심리 추리소설

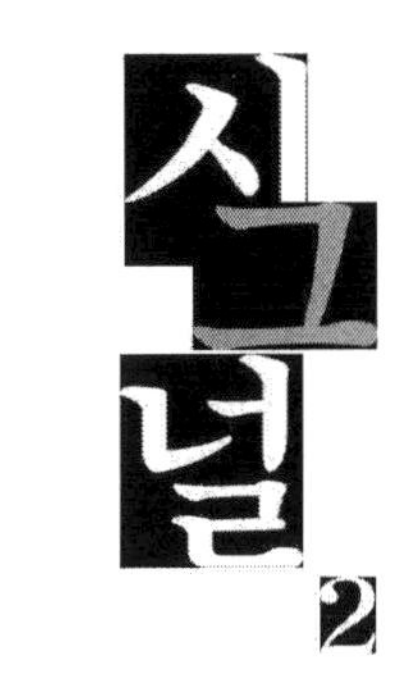

무의식이 보내는 신호

조승훈 장편소설

『 프롤로그 』

최면은 위대한 마법이고
꿈은 완벽한 드라마이다.
둘의 조합은 현실보다 리얼하고 꿈보다 판타지 하다.
그것이 비록 비논리적일지라도.

2023년 여름 / 조승훈

〖차 례〗

『무의식이 보내는 신호』

'꿈이란 무의식에 저장된 억압된 욕망의 위장된 성취다.'

인간의 무의식 속에 억압된 욕망이 변형된 형태로 분출되는 과정이 꿈이다. 따라서 인간이 꿈을 꾼다는 것은 현실에서 불가능했거나 통제하고 있던 이성 뒤의 본성을 살려내거나 실현하는 행위이다.

지그문트 프로이트〔Sigmund Freud〕
1856. 5. 6. ~ 1939. 9. 23.

제1장

죽 음

아침부터 동네가 시끄럽다. 사이렌소리, 통곡소리, 다급하고 거친 구두소리, 저마다 중얼대는 사람소리까지 몽땅 뒤섞인 소리다. 아주 듣기 싫은 소음이다.

*

민수의 일과는 조금 늦게 시작된다. 그런데 며칠 만에 아니 정확히 일주일 만에 똑같은 소음에 눈을 뜨고 말았다. 잡소리 중에서도 가장 듣기 싫은 잡소리다.

모든 소리를 종합해보면 소음의 정체는 죽음이다. 누군가 죽었다는 뜻이다. 그것도 호상(好喪)이 아니라 억울한 죽음이다. 심상찮은 죽음이다. 하지만 민수는 아무렇지도 않다. 죽음이란 늘 우리 곁에 있는 것. 친구보다 가깝고 친숙한 존재이기 때문이다.

누군가의 죽음 덕분에 오히려 민수는 긴 잠에서 깼다. 하루 이틀 계속해서 잤더라면 민수도 아마 죽었을 것이다. 마치 저 밖의 사람처럼….

*

민수는 일어나기조차 힘들다. 화상으로 인해 몸의 반쪽을 잃었다. 오른손은 손가락이 달라붙어 한 덩어리다. 허벅지살을 떼어다 덧 대어버린 얼굴과 오그라든 귀. 장딴지부터 복상 뼈까지 당겨진 심줄과 피부로 인해 다리는 제대로 펴지지도 않는다. 그로 인해 그나마 봐줄만했던 엉덩이와 허벅지살을 도둑맞았다. 어디

하나 성한 곳이 없는 사나운 몰골이다.

제 몸 하나 가누기 힘든 몸뚱이를 가지고 그래도 먹고 살겠다며 몸부림친다. 이런 민수에게는 생존보다 오히려 죽음이 더 반가울지 모른다. 그래서 민수는 죽음을 두려워하지 않는다.

창밖을 보니 사람들이 제법 모여들었다. 폴리스라인(police line) 치는 것을 보니 영락없는 살인이다. 그때 인상을 쓰며 걸어오는 한 무리가 보인다.

“빨리 좀 뛰라고 도대체 뭘 먹었는데 아침부터 ‘겔겔’ 거려?”

속이 터지는지 뒤따라오는 사람을 보고 앞선 사람이 소리치며 현장으로 들어선다.

“뭐야? 자살이야? 약 있는지 살펴봐!”

강 형사는 옆에 있는 신참에게 말했다.

“혼자였던 거 같은데요. 침입 흔적도 없고, 잠자리 그대로예요. 별다른 특이 사항은 안 보입니다. 그냥 심장마비 같은데요?”

신참은 덤덤하게 말했다.

“그래? 그럼 다시 한 번 살펴보고 철수해!”

그때 강 형사 말에 토를 다는 사람이 있었다.

"잠깐 잠깐만! 뭐 이리 빨리 정리해. 나도 좀 보자."

그때 '겔겔' 거리며 뒤따라오던 박 형사가 들어왔다.

"야? 인마, 너 말조심해!"

박 형사는 신참을 보고 자기 숨 가쁜 것에 대한 화풀이라도 하듯 소리쳤다.

"그냥이 어딨어. 사람 죽음에 그냥이 어딨어? 인마!"

"……."

"뭐가 됐든 다 이유가 있는 거야. 그따위로 하려면 그만둬!"

흥분한 박 형사를 보고 오히려 강 형사가 자기 말에 민망한 듯 신참을 다독이며 밖으로 내보냈다.

*

박 형사는 올해로 경찰 생활 15년째다. 경력은 제법 됐지만 직급은 그리 높지 않다. 그게 다 괴팍한 성질 탓이다. 그 때문에 아직도 결혼하지 못했다. 더욱이 자기 딴에는 현장 체질이라며 일부러 승진하지 않는 것이라고 말하지만 누구도 믿는 사람은 없다. 그래도 불가사의한 사건에 대한 육감(六感)은 매우 뛰어나다. 미제(未濟)로 남겨질 뻔한 사건도 박 형사가 몇 번 풀어냈다. 그래서 수사 현장에서 박 형사의 말은 곧 질서고 명령이다.

*

박 형사는 조금 전 모습과는 다르게 진지한 눈빛으로 현장을 살폈다. 주방의 컵은 사용했는지, 서랍을 열어 약 처방전은 없는지, 발코니 침입 흔적 등 쓰레기통까지 하나하나 면밀히 살폈다. 너무도 깔끔하게 정리된 집안이었다. 타인의 흔적은 전혀 보이지 않았기에 오히려 의심스러울 정도였다.

'정말 심장마비란 말인가….'

박 형사는 사망자 침대 위에 놓여있던 휴대전화기를 들었다. 비밀번호 패턴이 잠겨있지만, 경험상 세 번 안에 성공할 가능성이 높았다. 젊은 사람들의 잠금 패턴은 크게 다섯 가지 유형인데 역시 두 번 만에 풀어냈다. 이번 사건은 쉽게 풀릴 것 같은 예감이 들었다. 아니나 다를까 휴대전화기를 살피던 박 형사의 눈에 한 가지가 걸려들었다.

'한 장의 사진.'

왠지 낯설지 않다. 어디서 본 듯한 배경이다. 박 형사는 무언가를 떠올리려는 듯 미간을 잔뜩 찌 뿌렸다.

'낯설지 않아. 어디서 본 것 같은데….'

혼잣말로 중얼거리다 강 형사에게 물었다.

"얼마 전 동곡동에서 사망한 여대생 있지?"

"왜 그러는데?"

"사인이 뭐였지?"

"자취방 사건?"

"그래. 어떻게 처리됐어?"

"심장마비였을걸."

"심장마비?"

"아마도 돌연사로 처리 됐을 거야."

돌연사라는 말에 박 형사는 무언가 마음에 걸리는 듯 입술까지 깨물며 생각하더니 잠시 후 머리를 '툭툭' 치며 말했다.

"일단 사망자 부모와 상의해서 부검하고 국과수에 얘기해서 최대한 빨리 결과 좀 달라고 해!"

그러고는 급히 어딘가로 향했다.

제2장

심리상담소

민수는 올해 서른이다. 고아였고 총각이며 장애인이 됐다. 처음부터 장애가 있던 것은 아니다. 누구보다 건강한 정신과 신체를 지니고 있었다. 군대도 다녀왔고 대학 졸업 후 대학원 진학을 앞두고 있었다. 그러나 스물여섯 살이 되던 해 사고로 인해 전신 3도 화상을 입었다. 2년에 걸쳐 치료받고 간신히 목숨은 건졌지만, 모든 게 바뀐 것은 그때부터이다.

사고 이전의 삶과 이후의 삶은 민수를 전혀 다른 사람으로 만들어 놓았다. 외모도, 성격도, 이성도, 감정도, 변한 것이 아니라 완전히 딴사람이 되어버렸다. 그것이 긍정적이든 부정적이든 간에 민수는 그렇게 바뀌어 있었다.

*

대학에서 심리학을 전공한 민수는 사고 이후 사회 부적응자가 됐다. 혐오스러운 얼굴과 신체적 결함은 사람들로 하여금 그를 멀리하게 했다.

세상은 그에게 너그럽지 않았다. 그의 외모를 경멸했다. 식당에 가도 지렁이를 본 것처럼 피했다. 지하철을 타도 슬금슬금 밀어냈다. 하늘을 보고 싶어도 죄인처럼 고개를 들 수 없었다. 그가 사회일원으로서 할 수 있는 일은 없었다. 그래서 시작한 것이 지금의 사업이다. 그가 할 수 있는 유일한 일이며 세상과의 통로였다.

민수는 대학가 근처에서 '심리상담소'를 운영한다. 빌딩과 빌딩 사이 3평짜리 틈새 매장이다. 남들이 민수의 얼굴과 상황을 안다면 믿지 못할 것이다. 하지만 민수는 실제 '심리상담소' 소장이며 카운슬러이다.

상담자들은 민수의 얼굴을 알지 못한다. 볼 수도 없다. 내부의 정면은 거울이다. 백설 공주에 나오는 거울처럼 고전적이며 커다랗다. 민수는 거울 뒤편에서 일한다.

실내는 연푸른 페인트칠이 되어있다. 벽면은 홀로그램으로 변화하며 그림이 채워진다. 상담과 동시에 안을 가득 채운 홀로그램은 마치 꿈처럼 몽환적이다. 그것에 덧붙여 거울 뒤에서 들려오는 민수의 자상한 목소리는 마음을 한층 편안하게 만든다.

민수는 그곳에서 일한다. 그곳에서 민수는 주인이고 선생이며, 사랑받는 거울 왕자가 된다.

상담자가 찾아왔다. 출입문이 열리는 동시에 나지막한 목소리가 거울 뒤편에서 맞이한다.

"반갑습니다. 놓여있는 의자에 앉으세요."

처음 접하는 좁고 어색한 공간에 상담자는 다소 당황한 기색이다.

“어디를 보죠?”

덩그러니 중앙에 놓인 의자에 앉은 상담자는 방향을 잃은 듯 두리번거렸다.

“정면에 있는 거울을 보시면 됩니다. 긴장하지 마세요. 처음에는 대부분 낯설어합니다.”

중저음의 약간 느린 민수의 말투는 긴장감을 풀어주기 충분했다.

*

상담자는 자신을 비추는 거울을 뚫어지게 바라봤다. 자세히 말하면 자신을 보기보다 거울 뒤편을 보고 싶어 하는 눈치였다. 하지만 거울이란 뒤를 비추는 게 아니라 앞을 보도록 만든 것이다. 과거로 돌아갈 수 없듯이 오직 현재만을 살 수 있게 설계된 우리 인생처럼 말이다.

*

거울에 비친 상담자는 세련되고 예뻤다. 미니스커트에 가슴이 패인 검정 블라우스와 탈색한 긴 머리. 빨간 립스틱을 바른 입술은 도발적이었다.

나이는 20대 후반으로 보였다. 마음은 어떨지 몰라도 우선 외모는 미인이다. 남자들 시선을 끌기에 더없이 충분했다.

그녀가 말문을 열었다.

“친구가 소개해서 왔는데요. 상담료는 얼마에요?”

“상담 과정과 시간에 따라 좀 다르지만 비싸지는 않습니다.”

처음부터 상담료를 물어보는 사람들의 경우 경제적으로 여유롭지 못한 경우가 대다수다. 그래서 꼭 필요한 상담인데도 불구하고 때론 포기하는 경우가 있다. 그녀 역시 사정이 좋지 않은듯하여 민수가 자연스레 흘려 넘기자 더는 되묻지 않고 자신의 이야기를 시작했다.

“남자 친구들이 있는데 마음에 들지 않아요. 제 스타일이 아니거든요. 다들 못생겼고 돈도 없고 그런데 제가 정말 좋아하는 스타일의 남자가 있어요. 키 크고, 돈도 많고, 게다가 매너까지 좋아요. 그런데 그 사람은 다른 여자가 있어요. 사실 친구 애인이에요. 그 사람도 저에게 관심이 있는 것 같은데 어쩌면 좋죠? 아니 어떻게 하면 그 사람이 저에게…….”

갑자기 그녀는 말을 멈추고 다시 물었다.

“비밀은 정말 보장되죠? 만약 안 되면 아시죠!”

웃기지도 않는 으름장을 놓고 그녀가 말을 이었다.

“혹시 남자를 유혹하는 기술도 있나요? 있으면 좀 알려주세요.”

개념이 없다. 상담소인지 학원인지 구분도 못 하는 사람이다. 생각이 형편없다. 마음은 외모만큼 미인이 아니었다. 하지만 고객이고 자신을 찾아온 손님이다. 어찌 되었든 풀어낼 곳도 없고 답답해서 왔을 것이다. 상담 목적이 심각한 내용이 아니라 오히려 다행이었다.

민수는 속이 메슥거렸다. 아침을 먹지 못해서가 아니다. 그녀가 말하는 외모에 대한 무시가 비위를 건드렸다.

"사람 사귀는 방법이요? 물론 있습니다. 다만 목적이 무엇이냐에 따라 조금씩 다릅니다. 상담자께서는 어떤 목적이 있으세요?"

민수의 말에 그녀는 순간 머뭇거렸다.

"무슨 목적이요? 연애하는데 그냥 애인하는 거죠."

애인(愛人)이란 한자로 '아끼는 사람'을 가리키는 말이다. 그녀는 뜻도 모르는 듯 보였다. 민수로서는 오히려 편한 고객이다. 왜냐하면 복잡한 해결책을 제공하기 위해 애쓰지 않아도 되기 때문이다. 솔직히 이러한 사람에게는 심리상담소보다 오히려 연애학원이 적합하다.

*

요즘 젊은이들 사이에서 인기 있는 곳이 있다. 연애 기술을 가르쳐주는 곳으로 한 마디로 연애학원이다. 그들은 연애에도 기술이 필요하다며 말주변이나 외모에 상관없이 몇 가지 기교만 익혀도 솔로 탈출을 할 수 있다고 선전한다. 이렇게 연애 기술을 가르치는 사람을 '픽업아티스트'라고, 부르는데 한마디로 현대판 제비족이다. 이들은 연애를 목적에 따라 등급화하고 기술을 가르친다. 예를 들어 단순한 만남을 목적으로 하느냐. 감정까지 빼앗는 것을 목적으로 하느냐에 따라 연애 과정을 모두 계획하고 진행한다.

상대방을 유혹하기 위해 미리 준비하고 그 환경으로 끌어들이는 것이다. 마치 연애 과정을 시나리오 짜듯이 설계하여 말하고 행동한다. 어찌 보면 미끼를 놓고 기다리는 사냥꾼 같다.

모르는 사람이 보면 민수가 하는 일도 비슷해 보이지만 실제는 전혀 다르다. 연애 상담을 해주는 것이 상대를 유혹하거나 농락하기 위한 것이 아니다. 연애로 인해 받은 마음의 상처나 이별의 아픔을 치유하는데 목적을 둔다. 비록 치유의 종착지가 죽음일 수도 있지만 말이다.

*

민수는 그녀의 말을 끝까지 경청했다. 결국 상담목적은 괜찮은 남자가 자신에게 관심을 두도록 하려면 어떻게 해야 하는가에 대한 이야기였다.

“하경씨 마음을 알겠어요. 이상형이 있으세요?”

“당연하죠. 누구나 있지 않을까요? 돈 많고 잘생긴 사람.”

“그런 사람을 꼭 만나고 싶으세요?”

“물론이죠. 꿈에서라도 만날 수 있다면 좋죠.”

“어떤 데이트를 하고 싶으신데요?”

“음…. 분위기 있는 카페에서 차도 마시고, 드라이브도 하고, 영화처럼 사람들 많은 광장에서 춤도 한번 춰보고 싶고 그런 거죠.”

"즐겨가는 카페나 가고 싶은 곳이 있으세요?"

"네. 하데스 카페인데요. 비 오는 날 창밖 풍경이 정말 멋져요."

민수는 대안을 제시했다.

"지금부터 제가 한 가지를 알려드릴 테니 기억하셨다가 잠들기 전 꼭 상기하세요. 고민도 사라지고 좋은 꿈도 꾸실 거예요."

"정말요 어떻게 하면 되는데요?"

민수의 말에 그녀는 반색했다.

*

거울에 플라즈마 불꽃이 어른거렸다. 그리고 글자가 나타났다.

'몽현동 300번지. 235번째 하데스 카페 12시 정오.'

"천천히 따라 읽어보세요."

그녀는 거울에 쓰인 글자를 천천히 따라 읽으며 잔잔한 민수의 목소리에 쏙 빨려 들어갔다.

민수는 그녀와의 상담 내용을 일목요연하게 말하며 특정 상황을 설정하는 말을 덧붙였다. 그리고 말이 끝나는 순간 모든 실내의 불빛이 꺼졌다. 순간 암전이었다.

*

잠시 후 불이 다시 켜지고 그녀와의 상담은 끝났다. 이제 민수가 할 일만 남았다.

제3장

흔 적

한편 경찰서로 돌아온 박 형사는 정신없이 서랍을 뒤지더니 손바닥만 한 수첩을 꺼내어 빠르게 넘겼다.

"이거였어! 김 형사? 김 형사?"

박 형사는 무언가를 찾은 듯 후배 형사를 황급히 불렀다.

"무슨 일이세요?"

"기록실 가서 동곡동 사망자 자료 좀 가져와 봐!"

"동곡동이요?"

"얼마 전 사망한 이선영씨 자료 말이야."

"그것은 왜요?"

"일단, 빨리 좀 찾아와 봐."

박 형사는 조금이라도 의문이 생기면 요약해 두는 습관이 있다. 보름 전 발생한 동곡동 사건에 대한 기록도 마찬가지이다. 박 형사에게는 미심쩍었다. 지병도 마약도 채무도 심지어 수면제 한 알도 하지 않았는데 심장마비로 사망했다. 건강한 20대 여성이 갑작스럽게 돌연사 한다는 것은 드문 일이다. 적어도 과로나 스트레스가 원인일 수 있다고는 하지만 그 역시 사망자와는 거리가 멀었다.

오늘 일어난 화해동 배정애씨 사건도 비슷했다. 젊은 여자의 갑작스러운 심장마비….

"선배님 자료 가져왔습니다."

머리 회전이 둔한 김 형사이지만 시키는 일에 대한 행동은 아주 민첩하다.

"김 형사 한 가지만 더 부탁하자."

박 형사는 씩 웃으며 말했다. 친근감을 표현하는 나름의 억지 미소다.

"미안한데, 최근 일이 년 사이에 발생한 돌연사 사건 있으면 모두 찾아봐 줄래?"

"네? 그걸 다 어떻게…"

"관할 사망자 중 젊은 20·30대 여성 중심으로 찾아봐 줘."

김 형사 얼굴을 보니 하기 싫은 표정이 역력했다.

"그런데 동곡동 사망자 휴대전화기는 어딨어?"

박 형사는 능청스럽게 말을 돌렸다.

"그거야 돌연사로 처리되어서 유가족에게 전달됐죠."

"유가족?"

박 형사는 파일을 뒤지더니 어딘가로 급히 전화했다.

"중앙경찰서 박주연 형사입니다. 이선영씨 어머니 되시죠?"

말이 채 끝나기도 전에 전화기 저편에서 울음소리가 들렸다. 다른 말을 물을 수 없을 만큼 서러운 소리였다.

박 형사는 잠시 기다렸다.

"무슨 일이세요?"

"죄송하지만 선영씨 휴대전화기 아직도 보관하고 계신가요?"

"예, 가지고 있어요. 선영이 마지막 손길이 닿은 건데요."

"괜찮으시면 바로 찾아뵐 테니 좀 볼 수 있을까요?"

"왜요? 뭐가 잘 못 됐나요?"

"아뇨. 별거 아닙니다. 확인할 게 있어서요. 자세한 내용은 뵙고 말씀드리겠습니다."

박 형사는 통화를 마치고 급히 강 형사에게 연락했다.

"강 형사? 경찰서로 들어오지 말고 일단 통신사 가서 오늘 사망한 배정애씨 통화기록 좀 뽑아다 줘. 메시지도 확인하고."

"왜? 뭐가 있어?"

"다들 서둘러 저녁에 다시 보자고. 난 다녀올 데가 있어서."

"어디 가는데?"

"다녀와서 말해줄게."

박 형사는 이선영씨 어머니가 있는 전주로 향했다.

*

이선영씨 어머니 얼굴은 차마 보기조차 안쓰러울 만큼 힘든 모습이었다. 허름한 집에 홀어머니를 남겨두고 객지에서 공부하며 용돈까지 보내주던 딸이었다. 마른하늘에 날벼락처럼 생때같은 자식이 하루아침에 주검이 되었으니 그 마음이 오죽하겠는가.

"죄송하지만 선영씨 휴대전화기 좀 볼 수 있을까요?"

박 형사는 거두절미(去頭截尾)하고 말했다. 어머니는 품에서 딸의 전화기를 내놓았다. 건네받은 전화기는 따뜻했다. 사망자가 방금 전까지 사용한 것처럼 온기가 느껴졌다.

박 형사는 전원 버튼을 길게 눌렀다.

"휴대전화기에 있는 메시지나 사진 지우지 않으셨죠?"

"지우기는요. 그대로예요. 우리 애가 금방이라도 가져간다고 올 것 같은데 어떻게 지워요."

주인이 사망한 줄도 모른 채 최근까지 수신된 메시지가 잔뜩 쌓여있었다.

죽음이란 이런 것이다. 떠난 자는 허무하지만, 남은 자에게는 살아있게 느껴진다. 그래서 죽음은 아픈 것이다. 남겨진 이들에게 더 아픈 것이다.

*

박 형사가 확인하고 싶은 것은 따로 있었다. 사망한 이선영씨가 찍었던 사진이다. 특히 혼자 찍은 사진을 주시했다.

박 형사의 눈썰미는 호락호락하지 않다.

'한 장의 사진'

그 사진은 오늘 사망한 화해동 여성의 사진과 뒷배경이 같았다. 중세 시대 그려진 벽화의 느낌이었다. 분명한 것은 어떤 매장의 입구라는 사실이다. 사망한 서로 다른 두 여성의 포즈도 비슷했다.

마치 다른 세계로 떠나며 마지막 흔적을 남기기라도 한 듯….

박 형사는 자신의 휴대전화기로 그 사진을 촬영했다.

*

'세상에 그냥이란 죽음은 없다. 흔적 없는 살인도 없다.'

이것부터 시작하면 된다. 희망은 생겼다. 이제부터 시간과 집중력이다. 오직 그것만이 사건을 해결할 수 있다.

박 형사 얼굴에 비장함이 서렸다.

제4장

탱고살인

지그문트 프로이트는 「꿈의 해석」이란 책을 통해 이렇게 말했다.

'꿈이란 무의식에 저장된 억압된 욕망의 위장된 성취다.'

다시 말해서 인간의 무의식 속에 억압된 욕망이 변형된 형태로 분출되는 과정이 꿈이다. 따라서 인간이 꿈을 꾼다는 것은 현실에서 불가능했거나 통제하고 있던 이성 뒤의 본성을 살려내거나 실현하는 행위이다.

*

이제 '억압된 사슬을 풀 시간이 됐다.'

민수는 하루를 마무리하는 의식을 진행했다. 상담을 마무리할 시간이 된 것이다. 어쩌면 상담자를 마지막으로 만나는 시간이다.

"띠릭"

늦은 시간. 하경에게 문자 메시지가 도착했다. 낮에 심리상담소를 찾았었다. 친구의 애인을 좋아하기에 답답한 속마음을 풀어내고 싶었다.

메시지를 읽는 순간 상담소장의 말이 떠올랐다.

"몽현동 300번지. 235번째 하데스 카페 12시 정오."

하경은 푹신한 침대에 툭 하니 몸을 던졌다. 다리에서부터 피곤함이 몰려와 금세 나른해졌다.

"현실엔 없지. 꿈이라면 몰라도…."

하경은 중얼거리며 잠들었다.

얼마 후 하경의 앞에 '몽현동 300번지'라고 쓰인 팻말이 보였다. 하경이 천천히 따라 읽자, 멋지게 지어진 집이 서서히 나타났다. 낮에 상담소에서 본 집과 똑같은 모습이었다.

출입문을 열고 들어서자 더욱 놀라운 광경이 펼쳐졌다. 자신이 말했던 '하데스 카페'였다.

"이게 정말 가능해!"

자기도 모르게 속말처럼 내뱉었다. 시계를 보니 정오였다. 거리는 붐볐지만 카페 안은 아직 여유로웠다. 밖을 보기 위해 창가로 앉았다. 때마침 비도 내렸다. 커피 향과 빗소리가 화음을 이루자, 마음이 차분해졌다. 이런 날은 사랑에 빠지기 좋은 날이다. 하경의 의식은 이것이 꿈이란 사실을 더 이상 자각하지 못했다.

그때 누군가 하경에게 다가왔다.

"하경씨?"

넋을 잃고 창밖을 보던 하경에게 한 남자가 말을 건넸다. 훤

칠한 키에 말끔한 슈트 차림이었다. 손목에는 명품 시계가 채워져 있고 말끔하게 다려진 셔츠와 커프스는 세련됨의 백미였다. 피부색은 밀가루처럼 희었다. 유쾌한 성격의 하경이지만 남자의 얼굴을 똑바로 바라보기가 왠지 쑥스러웠다.

남자는 아무 말 없이 하경의 손을 잡고 밖으로 이끌었다. 고급스러운 세단의 문이 열렸다. 매너가 사람을 만든다는 말처럼 멋스러운 그대로였다.

*

비 오는 강변을 따라 한참 동안 달렸다. 차 밖의 풍경은 번진 수채화처럼 흐릿했다. 시간도 무뎌졌다. 어느새 구름이 걷히고 맑은 하늘이 보였다. 남자의 차는 사람이 많은 시내 광장으로 들어섰다. 그때까지 남자와 하경은 서로를 보며 미소 지을 뿐 다른 말은 하지 않았다. 하경은 이 완벽한 시간을 누구보다 더 즐겼다.

침묵을 깨고 남자가 말했다.

"갈증이 나네."

"갈증?"

남자는 하경을 훑어보며 묘한 웃음을 보였다.

하경은 알 수 없는 소름이 끼쳤다. 조금 전 느낌과 확연히 달랐다. 차 안의 공기까지 냉기가 돌았다.

남자는 사람들로 가득 찬 광장 입구에 차를 세우더니 음악을 크게 틀었다. 그리고 하경에게 다가와 차에서 끌어 내렸다.

"이제 탱고로 마지막을 장식해 볼까?"

밀가루같이 흰 얼굴은 핏기 하나 없는 마네킹 같았다. 표정도 없고 무서웠다. 그것이 하경의 눈에 들어온 남자의 마지막 모습이다.

'탱고'

남자의 왼손은 하경의 오른손을 잡고 반쯤 올렸다. 다른 손은 하경의 허리춤을 감쌌다. 그런데 하경의 옆구리에 느껴진 것은 손이 아니라 시린 섬뜩함이었다.

"허"

순간 목이 타들어 가는 갈증이 일었다. 숨이 쉬어지지 않았다. 그리고 다시 느껴지는 후끈함.

*

회칼이다. 얇고 좁은 두 뼘 남짓한 회칼이 하경의 옆구리를 사정없이 쑤셨다. 비명도 없었다. 하경은 손을 뿌리치려 했다. 벗어나려고 바닥을 차고 발을 굴렀다. 하지만 도저히 헤어나지지 않았다. 멀리서 보면 그 모습은 마치 탱고를 추는 듯 보였지만, 그것은 죽음의 과정이었다. 남자의 손에서 벗어나려는 몸부림이 격렬하면 격렬할수록 열정적인 춤사위로 보였다.

*

하경의 흰 원피스는 어느새 붉고 화려한 탱고 드레스로 변했다. 그 모습을 보고도 말리는 사람이 한 명도 없었다. 다가오는 사람도, 신고하는 사람도 없었다. 자신들이 본 것이 살인인 줄 알았으리라. 그러나 숨이 끊기는 하경에게 구원을 내민 사람은 아무도 없었다. 보이지 않는 것인지, 보고 싶지 않은 것인지 그렇게 광장의 사람들은 모두 투명 인간이 됐다.

어느새 축 늘어져 버린 하경은 광장 한복판에 내 팽겨졌다. 그들은 구경꾼이었다. 죽음의 탱고를 본 관객에 불과했다. 세상이 이렇다.

남자는 자기 슈트(suit)에 칼을 '쓱' 닦고 유유히 사라졌다.

제노비스 신드롬(Genovese Syndrome)이다. 방관자다. 무관심이다. 사람이 많음에도 불구하고 살해당하는 사람을 돕는 이는 아무도 없었다. 그들에게 하경은 낯선 사람에 불과했다. 관계가 없는 사람이었다. 자신들이 연루되기 싫었다. 회피다. 이것이 인간의 본성이다.

제5장

탐 문

며칠 후 국립과학수사연구소에서 연락이 왔다. 화해동 배정애씨 부검 기록이었다. 외상이나 약물 흔적은 없었다. 사인은 심장마비에 의한 돌연사였다. 다만 호르몬 검사에서 아드레날린이 과다하게 분비되었다는 점이 눈에 띄었다. 그런데 이 결과는 지난번 사망한 동곡동 이선영씨 부검 결과에서도 나왔던 소견이다. 박 형사의 촉이 또 한 번 발동했다.

*

국립과학수사연구소의 유 박사에게 전화를 걸었다.

"박사님, 박 형사입니다."

"그래 잘 지냈나?"

"잘 지내기는요. 아시면서. 여쭤볼 게 있어서요."

"그래. 뭔가? 말해보게."

"며칠 전 부검한 화해동 여성 때문인데요. 기억하시죠?"

"부검 결과 보내지 않았나?"

"네, 받아보았습니다. 그런데 호르몬 수치가 높다 해서요. 어째서 그런가요?"

잠시 침묵이 흐른 후 유 박사가 조심스럽게 말을 꺼냈다.

"나도 그 점이 마음에 걸렸네. 지난번에도 비슷한 사건이 있었잖은가? 다른 외상이나 약물은 검출되지 않았는데 아드레날린이 과다 분비되었거든. 이런 경우 대부분은 약물 과용이나 운동을 심하게 하다가 사망하였을 때 나타나지. 하지만 화해동 사망자는 약물을 했거나 운동한 흔적도 없어. 그렇다면 한가지인데 그게 말이야. 조금 그래."

"네? 그게 무슨 말씀이세요. 조금 그렇다니요? 마음에 짚이는 것이라도 있으세요? 말 좀 해주세요. 아무거나 좋습니다."

"아드레날린은 기본적으로 교감신경이 흥분했을 때 분비되거든. 교감신경이란 신체가 위급한 상황일 때 대처하는 기능을 하고."

답답한 듯 박 형사가 말을 뚝 잘랐다.

"박사님 어렵게 말씀하지 마시고 쉽게 설명해 주세요."

"아, 그래. 한마디로 말하면 자면서 호르몬이 과다 분비됐다는 뜻이야. 수면 중 몹시 긴장한 상태였거나 신체적으로 굉장한 스트레스를 받고 있었다는 말이네. 우리가 싸우고 있을 때처럼."

"싸워요? 자면서 싸우다니요."

박 형사는 긴장감이 몰려왔다.

"더 쉽게 말해주세요?"

"간단히 말해서 악몽을 꿨을 가능성도 완전히 배제할 수 없어. 수면 중 지독한 꿈을 꾸거나 가위눌림이 일어났을 때 나타날 수도 있는 현상이야."

"악몽이요? 꿈꾸다가 죽는다. 말인가요?"

"세상엔 불가사의한 일이 한두 가지인가. 악몽을 의학적으로 증명하기는 어렵네. 하지만 심리적 현상이 신체에 영향을 주는 것은 분명하지. 법의학자가 이런 말하기가 좀……."

"아닙니다. 별말씀을요. 오히려 제가 고맙습니다. 다시 전화를 드리겠습니다."

박 형사는 한참 동안 오른손으로 이마를 짓누르고 무언가에 골똘했다.

*

추리소설 '홈즈'에 이런 말이 나온다.

'가능성이 전혀 없는 것을 뺀 나머지가 설령 믿어지지 않더라도 그것이 진실이다.' 다시 말해서 아무리 낮은 퍼센트의 가능성이라도 있다면 진실은 그 속에 있다는 말이다.

'이제 탐문이다.'

박 형사와 강 형사는 사건을 나누어 탐문을 시작했다. 강 형사는 배정애씨 사건을 맡았고, 박 형사는 이선영씨 사건을 재조사했다. 별개의 사건처럼 여겼던 일에 겹치는 부분이 생겨났다. 아드레날린 과다분비와 배경이 같은 사진이었다.

박 형사는 사진 속 배경 추적에 나섰다. 우선 이선영의 친구를 만나러 갔다.

*

5월 생동감이 넘치는 대학은 축제로 한창 들떠있었다. 한 사람의 죽음은 다른 사람들에게 영향을 미치지 않고 있었다. 인간이란 관계에 의해서만 기쁨과 아픔을 공감할 수 있는 존재란 사실이 안타깝다. 나와 어떤 관계인가. 나는 그를 알고 있는가. 내가 그를 어떻게 생각하고 있는가에 따라 감정의 깊이와 강도는 달라진다. 이 사실에서 보면 인류애는 과대 포장에 불과할 뿐이다.

*

박 형사는 축제 한가운데서 이선영의 친구를 보았다.

"박주연 형사라고 합니다. 전화했었죠?"

"네, 안녕하세요. 최자윤이에요."

"선영씨 일로 놀라셨죠?"

"아직도 믿기지 않아요. 정말 친한 친구였는데."

"선영씨와는 언제부터 알고 지냈나요?"

"대학 친구니깐 3년 정도 돼요."

"최근 들어 이상한 점은 없었나요? 선영씨 말이에요."

"없었어요. 조금 스트레스를 받긴 했지만요."

"무슨 일로 스트레스를 받았죠?"

"자세히는 모르지만 따라다니는 남자 때문에 힘들어했어요."

"남자가 따라다녀요. 누군데요?"

"저도 잘 몰라요. 멀리서 몇 번 본 게 전부인데 아르바이트했던 곳에서 알던 사람이래요. 사실 선영이가 1년 휴학했었거든요. 형편이 어려워서 학비 번다고."

"어떤 일 했는지 아세요?"

박 형사는 집요하게 캐물었다

"말하기가 조금 그런데 '텐프로(ten pro)'생활을 했어요. 짧은 기간에 큰돈을 벌려면 그게 제일 빠르다면서."

*

텐프로(ten pro)란 유흥업소에서 일하는 도우미 여성을 일컫는 별칭이다. 상위 10%의 미모와 지성을 갖춘 여성들만 일할 수 있다고 해서 텐프로(ten pro)라고 부른다. 어찌 됐든 외모가 뛰어나야 그 일을 할 수 있다.

*

박 형사가 들었던 이야기와는 너무도 다른 생활이었다.

"텐프로? 그곳이 어딘지 알 수 있을까요?"

박 형사는 선영의 친구로부터 아르바이트했던 곳을 파악했다. 그리고 이야기 주제를 바꿨다.

"혹시 이 사진 어딘지 아시겠어요?"

박 형사가 최자윤에게 보여준 사진은 화해동 사망자와 같은 배경에서 찍었던 이선영 사진이었다.

"아! 여기요?"

최자윤도 아는 곳인듯했다.

"여긴 심리상담소인데요."

"심리상담소라고요?"

"예, 고민 상담을 해주는 곳이에요."

"여긴 왜요?"

"이곳을 아세요?"

"사진 찍는 명소인걸요. 주점 골목 사이에 있는데 그려진 벽화가 독특해서 사진을 많이 찍어요."

박 형사의 안테나가 다시 가동했다.

"자윤씨도 가보셨어요?"

"그럼요. 저도 여기서 찍은 사진이 있는걸요."

"혹시 자윤씨도 상담소를 가본 적 있나요?"

"아니요. 저는 가보지 않았어요. 다녀온 친구들한테 얘기는 들었지만요."

"무슨 얘기요?"

박 형사는 마른침을 억지로 삼켰다.

"심리상담소라고는 하지만 그냥 고민 상담소라고 생각하시면 돼요. 다녀온 친구가 그러는데 조금 독특하데요."

"어떻게요?"

"거울을 보고 이야기한다고…."

"거울이요?"

"네, 정면에 큰 거울만 있데요. 상담사도 보이지 않고 목소리만 들린 데요. 목소리가 좋아서 듣고만 있어도 기분이 좋아진다고 했어요. 친구들 말로는 아마도 전직 교수 같다고 하던데…."

"참! 신기한 게 있어요."

"뭔데요?"

박 형사는 한 가지라도 더 알고 싶었다.

"친구들이 그러는데 상담하고 온 날은 꿈을 꿨데요. 고민했던 일에 대한 꿈을요."

"꿈을 꾼다?"

박 형사는 수첩에 '꿈'이라고 적었다.

"친구 중 한 명은 죽은 남자친구 때문에 몹시 힘들어했어요. 작년 여름에 놀러 가서 익사했거든요. 밤마다 꿈에 나타난다고 무척 괴로워했어요. 그런데 상담소를 다녀와서는 꿈을 꾸지 않는데요. 얼굴도 전처럼 밝아졌고요. 신기하죠. 더 자세한 것은 모르겠어요. 저도 상담을 직접 해보진 않아서…."

박 형사는 다시 질문했다.

"선영씨도 그곳에 갔나요?"

"네."

"언제쯤이었는지 기억하세요?"

"제가 알기로는 몇 번 갔었는데 죽기 며칠 전에도 다녀왔다고만 했지, 다른 말은 안 했어요."

"다녀온 뒤로 이상한 점은 없었나요?"

"아뇨. 평소와 똑같았어요. 오히려 밝아졌어요. 선영이는 꿈 얘기도 안 한 걸요. 꿈을 꿨으면 아마 말했을 텐데……."

*

이야기를 들을수록 박 형사의 머릿속은 복잡했다. 속단할 수는 없지만 무언가 있어 보였다. 유 박사 말과 상담소를 다녀온 사람들의 공통점이 있었다. 하지만 이선영이 꿈을 꿨는지 꾸지 않았는지 확인할 수는 없었다. 그는 더 이상 존재하지 않기 때문이다.

박 형사는 상담소를 직접 방문해 보기로 했다.

'그곳에 가면 뭔가 알 수 있겠지.'

사건의 해결은 탐문으로 시작해서 탐문으로 끝난다. 그만큼 수사에서 탐문은 중요하다. 모름지기 탐문은 암행어사처럼 해야 한다. 왕과 자신 이 외는 아무도 모르게 비밀로 해야 한다. 형사의 탐문은 더 엄격해야 한다. 자신 외에 아무도 몰라야 한다. 상사든 동료든 눈치채지 못해야 한다. 그래야 효과가 있다. 철저하게 본질을 숨겨야 했다. 적어도 이번 사건은 그러했다.

*

박 형사는 사건의 퍼즐을 아직 공개하지 않았다. 지금은 조각을 모을 때였다. 전체 그림을 공개할 시점이 아니다. 그래서 더 주의하고 더 신속하고 더 세심했다.

제6장

대 면

이선영씨 친구 말대로 주점 골목 끝자락에 틈새 매장이 있었다. 사진 속 배경이다. 심리상담소라는 상호는 아주 작게 쓰여 있었다.

인상적인 것은 입구 벽면에 그려진 벽화였다. 고전적 화풍의 그림은 어둡지도 밝지도 않았다. 발가벗은 커다란 거인이 몸을 옆으로 기울여 손바닥만 한 사람을 여인 곁에 내려놔 주는 모습이었다. 거인은 하늘에 떠 있었고 여인과 남자는 벼랑 끝에 서 있는 그림이다. 구도가 비현실적임에도 불구하고 안정감이 느껴졌다. 묘한 기분이 드는 그림이었다.

'모든 발단은 이곳에서 시작됐을 것이다.'

박 형사의 육감이 깨어났다.

"수고하십니다."

출입문을 열고 상담소 안으로 들어선 순간 말문이 턱 막혔다. 인사를 건네기 민망할 만큼 실내는 텅 비어 있었다. 말 그대로 손님을 맞이하는 사람도 없었다. 커다란 거울과 앞에 놓인 쿠션 의자가 전부였다.

"어떻게 오셨나요?"

박 형사가 두리번거리는 사이 거울 뒤편에서 목소리가 들렸다.

"상담 좀 받으러 왔습니다."

"어떡하죠. 우리 상담소는 예약하셔야만 가능합니다."

여전히 사람은 보이지 않고 목소리만 들렸다.

"멀리서 일부러 왔는데, 얘기 좀 나눌 수 없을까요?"

"예약하지 않으시면 어렵습니다."

감정 기복이 없는 일정한 톤이다.

"잠깐이라도 안 되겠습니까?"

박 형사는 사정하는 척했다.

"죄송하지만, 어렵습니다. 예약하고 오셔야 합니다."

부드러운 음색이었지만 말끝은 단호했다. 박 형사는 기분이 유쾌하지 않았다.

"지금 예약하면 언제 가능한가요?"

"이미 약속하신 분들이 계셔서 당장은 어렵습니다. 나가실 때 인적 사항 적어주시면 일정을 확인하고 연락드리겠습니다. 죄송합니다."

썰물에 맥없이 몸이 쓸려나가듯 박 형사는 출구에 놓인 메모지에 자신의 인적 사항을 남겨놓고 자연스레 밀려 나왔다.

'이름: 박주연, 전화번호: 02-345-9876, 직업: 상담원'

상황이 묘하게 흘러갔다.

박 형사는 어떠한 사건도 대충 넘기지 않는다. 상담소를 나오면서 명함 한 장을 챙겼다.

'그냥은 없다.' 박 형사 신조다.

거울 뒤에 있는 민수는 그가 어떤 일을 하는 사람인지 직감적으로 알았다. 사람들은 대개 인사말에서 직업이 노출되기 마련이다. 처음 방문하는 곳에 '수고하십니다.'라는 말은 물어보는 것에 익숙한 사람의 말투다. 더욱이 보이시(boyish) 한 복장과 스타일은 누가 봐도 형사 느낌이었다.

*

개들은 개장수를 알아본다. 영리한 개던, 사나운 개던, 아둔한 개던 단번에 개장수를 알아본다. 그것이 본능이다. 위기에 대한 본능, 살기 위한 본능, 죽음을 감지하는 본능이다.

「그냥은 없다. 박주연 형사」

박 형사의 이름은 박주연이다. 주연에게는 응어리가 있다. 아무에게도 말 못 하는 응어리. 그것은 주연을 평생 따라다녔다.

'아버지'

이 단어는 주연을 속죄하게 만든다.

아버지 바람 중 하나는 다 자란 자식과 술잔을 한번 기울이는 것이었다. 어느새 훌쩍 커버린 자식을 대견해하며 인생의 담소를 나누는 꿈을 꾸셨다. 하지만 그런 기회가 항상 있는 것은 아니다. 표현이 서툴거나 과묵한 아버지일수록 더욱 힘든 일이다. 주연은 아버지 살아생전 그 바람을 함께 하지 못했다. 그것이 첫 번째 응어리였다.

*

'그날 아버지가 기다리고 계실 때 갔어야 했다. 모든 것을 제쳐두고라도 갔어야 했다.' 지금도 마음속에서 후회하는 소리가 들린다.

*

주연은 젊은 날에도 살가운 성격은 아니었다. 가정 형편이 어려워 여고를 졸업 후 곧바로 지방에 있는 중소기업에 취업하여 야간 대학에 다녔다. 그렇다 보니 성인이 되어서도 좀처럼 아버지와 마주 앉아 제대로 식사 한 적이 별로 없었다.

일찍 아내를 잃고 외동딸을 키우며 헌신했던 아버지셨다. 그러나 그날 주연은 친구들과 어울리느라 아버지의 바람을 흘려 넘겼다. 철부지였다. 키만 훌쩍 자란 어린애였다.

주연에게는 꿈같은 소원이 있다. 아버지를 만나는 것이다. '죄송하다.' 말을 전하고 싶어서이다. 불가능한 바람이지만 그래야만 응어리가 풀릴 것만 같았다.

*

주연의 아버지는 살해당했다. 집으로 오는 골목에서 괴한에게

습격당했다. 범인은 아직도 잡히지 않았다. 그날은 주연이 야간 대학을 졸업 후 새 직장을 얻어 아버지와 함께 살기 위해 상경한 날이었다. 성인이 돼서 아버지와 처음으로 마음 편히 저녁 식사를 약속한 날이다. 하지만 주연은 친구들과의 분위기에 휩쓸려 아버지와의 약속을 뒤로 미뤘다.

'내일, 내일 하면 되지.'

그런 생각은 하지 말았어야 했다. 왜냐하면 내일은 영원히 오지 않았기 때문이다.

*

주연과의 저녁 식사 생각에 들뜬 아버지는 서둘러 장도 보았다. 잠깐 다녀오겠다며 메모를 남겨놓고 나간 딸아이는 밤이 깊어지는데도 소식이 없었다. 아버지는 골목을 내려와 주연을 기다렸다. 그리고 되짚어오는 길에 그만 봉변당한 것이다.

누가? 왜? 죽였는지도 모른다. 목격자도 없다. 현장에는 부러진 칼이 떨어져 있었지만, 지문 감식에도 식별되지 않았다.

주연이 형사가 된 것은 바로 이 때문이다. 아버지 살해범을 잡고 싶었다. 그에게 묻고 싶었다.

지금까지도 잡히지 않은 범인이 박주연 형사의 두 번째 응어리였다.

제7장

두 통

민수는 좀처럼 잠들지 못했다. 낮에 찾아온 형사 때문만은 아니다. 요즘 들어 잠을 자는 것이 쉽지 않다. 두통이 점점 심해지고 있다. 이제 웬만한 진통제로는 통제가 되지 않는다.

'아이 알 코돈'

병원에서 새로 처방받은 약이다. 속효성으로 마약성 진통제다. 한 알을 먹으면 30분 후 효과가 나타난다. 최대 4시간을 버틸 수 있다.

얼마 전부터 5mg짜리로는 부족해서 10mg짜리로 바꿔서 복용한다. 모르핀 20g에 해당하는 양이다. 더욱이 두통이 일어나는 빈도도 잦아졌다. 의사 선생님은 부작용을 염려해 자주 먹지 말라고 했지만 직접 당해보지 않은 사람은 절대 알 수 없는 고통이다. 너무 심한 날은 두 알을 한꺼번에 먹는다. 그러면 정신이 멍해지고 꼬집어도 감각이 없다.

*

사실 민수의 머릿속에는 종양이 자라고 있다. 발견된 것은 불과 1년 남짓이지만 자라는 속도가 예사롭지 않다. 게다가 경과가 좋지 않다. 하필이면 해마 부분에서 자란다. 사람의 기억을 관장하는 곳이다. 그래서일까 민수는 가끔 친구 얼굴도 기억나지 않고 자신이 한 일도 잊곤 한다. 아직 횟수는 적지만 점차 잦아질 것이다. 그렇다고 손을 쓸 수도 없다. 수술 자체가 불가능하며 약물치료도 불가능하다. 현재로선 진통제만이 최선이다.

*

민수는 고통에서 벗어나고 싶다. 잠들고 싶고 꿈꾸고 싶다. 깊고 깊은 잠 속으로 빠져들다 보면 기분 좋은 꿈과 만난다. 행복한 꿈이다. 그것은 민수의 일인 동시에 고통을 잊게 하는 유일한 시간이다. 그곳에서 민수는 완벽한 사람이 된다. 건강하고 멋지고 당당한 사람이다. 예전 자신 모습으로 되돌아간다. 본래 모습을 되찾는다.

*

민수에게는 그립고 보고 싶은 사람이 있다. 그러나 만나지 않는다. 저만치에서 바라 볼뿐 다가설 수 없어도 분노하지 않는다. 이것이 민수의 운명이다. 스스로 택한 것이다.

단테의 말처럼 '내'가 운명을 택하든, 운명이 '나'를 택하든 중요한 것은 운명과 맞닥뜨려야 한다는 사실이다.

민수는 단테의 '신곡을' 좋아한다. 특히 단테와 베아트리체의 사연은 자신과 닮았기 때문이다.

*

단테가 아홉 살 때 베아트리체를 처음 만났다. 단테가 열여덟 살이 되어서 다시 만났고, 스물네 살이 되던 해 베아트리체는 죽었다. 하지만 단테의 가슴속에 베아트리체는 살아남아 있었다.

그렇기에 지옥에 있던 단테가 천국으로 갈 수 있었고 그곳에서 그녀를 다시 만날 수 있었다.

*

민수와 그녀는 다섯 살 때 만났다. 열네 살 때 그녀가 떠났고, 스물여섯 살이 되던 해 다시 만났다. 그리고 다시 이별이다.

민수는 신께 기도한다. 모든 기억이 사라지더라도 스물여섯 그 날 기억만은 남겨 달라고….

*

진통제가 약효를 발휘하기 시작했다. 정신이 몽롱해졌다. 민수는 그녀를 보기 위해 꿈속으로 들어갔다.

제8장

회 상

민수는 같은 꿈을 꾼다. 항상 그날의 꿈을 꾼다.

*

스물여섯 살 그 해 민수가 대학을 졸업하던 날이었다. 기억도 나지 않은 나이에 혼자된 아이를 찾아오는 사람은 아무도 없었다. 그런데 그녀가 찾아왔다. 기쁨과 슬픔이 교차하는 날. 자신이 누구라고 말하지 않아도 민수는 그녀를 단번에 알아볼 수 있었다.

*

민수와 그녀는 같은 보육원에서 자랐다. 민수에게 그녀는 누나였고, 어머니였고, 여인이었다. 세 살 연상이었던 그녀는 열일곱 살이 되던 해 몹시 아픈 얼굴로 보육원을 나선 후 돌아오지 않았다. 그때 무슨 일이 있었는지 민수는 알지 못했다. 다만 매년 생일에 주소와 이름도 없이 선물만 왔는데 오늘 그녀가 민수 앞에 서 있다. 정확히 12년 만이다. 두 사람은 아무 말도 하지 않고 서로를 꼭 끌어안았다.

그리고 얼마 후 유난히 벚꽃이 활짝 핀 날 둘은 다시 만났다. 봄을 느낀 것도 처음이었다. 그녀를 오래도록 바라본 것도 처음이었다. 마음을 내비친 것도 처음이었다. 멀리 여행을 가서도 풍족해서도 아니었다. 오직 같이 있다는 것만으로도 좋았다. 모든 게 처음이었다. 그날은 그랬다. 완벽한 날이었다. 그날의 일을 민수는 일기장에 적었다.

「완벽한 봄」

때마침 봄이어서 이보다 좋을 순 없다.

바람이 꽃잎을 뿌려 이보다 좋을 순 없다.

햇살이 밝고 맑아 이보다 좋을 순 없다.

그날이 오늘이어서 이보다 좋을 순 없다.

“사랑합니다.”

용기 내어 말 할 수 있는 오늘이야말로 완벽한 봄이다.

그리고

내가 사랑하는 사람이

더 없는 그대여서

이보다 좋을 순 없다.

더 이상 무슨 말이 필요하겠는가. 민수에게 그날은 이런 날이었다. 하지만 이런 날은 다시 오지 않았다. 봄이 채 끝나기도 전에 너무 짧게 왔던 행복이고 사랑이었다.

민수와 그녀가 재회한 후 주말이면 보육원에 갔다. 자신들과 같은 처지에 있는 어린 친구들을 돌보며 함께 해주는 것이 그들만의 소박한 데이트였다.

그쯤 어린이날을 맞아 보육원에서 행사가 있었다. 민수와 그녀는 보육원에서 제공해 준 미니버스를 타고 아이들을 인솔하여 놀이공원을 다녀오는 길이었다. 그런데 앞서 달리던 유조차가 전복되면서 대형 사고가 발생했다. 민수가 타고 있던 미니버스와 충돌한 것이다.

버스 안은 순식간에 아수라장이 되었다. 민수는 정신을 차리고 아이들과 그녀를 밖으로 재빨리 구조했다. 마지막으로 운전석에 끼인 기사를 구조하기 위하여 다시 버스 안으로 진입했을 때 불길이 옮겨붙었다. 점점 사나워지는 불 속에서 가까스로 마지막 사람을 구조해 냈을 때 민수의 옷가지에도 불이 붙었다. 민수는 그 자리에 쓰러졌고 눈을 떴을 때는 이미 몸 반쪽이 녹아있었다.

*

그 사고로 인해 민수는 자신을 잃게 되었다. 몇 번의 이식수술을 거쳐 목숨은 건졌지만 이미 예전 모습은 찾아볼 수 없었다. 모든 꿈과 희망까지 태워버린 사고였다.

고통스러운 날들이었다. 그래도 그 시간을 지켜준 한 사람이 그녀였다. 민수 옆에서 함께 아파하며 궂은일도 마다하지 않았다. 열일곱 살 때처럼 민수를 홀로 남겨두고 떠나지 않았다. 그러나 민수는 그 모습을 두고 볼 수 없었다. 자기 때문에 고생하는 그녀가 안쓰러웠다.

이번에는 민수가 그녀 곁을 떠났다. 머물고 싶지만 함께하고 싶지만 그럴수록 그녀가 힘들고 불행해질까 봐 민수는 그녀가 찾을 수 없도록 세상 속으로 숨었다. 벌써 3년이다.

시그널 2

제9장

공통점

박 형사는 상담소를 다녀온 후 상담소장 민수에 대한 의심이 커졌다. 그러나 아직 아무런 증거가 없었다. 단지 심증뿐이다.

수사 회의가 열렸다.

며칠간 강 형사는 화해동 사건을 조사했다. 김 형사는 최근 1년 사이 담당에서 일어난 20·30대 여성 사망사건을 분석했다.

강 형사가 말했다.

"배정애씨는 올해 50세. 미혼. 페미니스트 협회 간사였어. 똑 부러지는 성격이며 바른말 잘하기로 유명했더군. 주변에 원한을 사거나 흠 잡힐 행동은 하지 않았던 사람 같은데, 여성운동에는 강한 성향을 보였더라고. 또 다른 건 어린 시절 새아버지로부터 성폭행을 당했던 과거가 있었어. 그것이 트라우마였는지 나이가 있음에도 불구하고 가끔 심리치료를 받으러 다녔었고."

강 형사가 박 형사에게 물었다.

"상담소는 가봤어?"

박 형사는 난처한 표정을 지으며 말했다.

"가보긴 했는데 얼굴도 못 봤어. 예약제로 운영된다며 어찌나 깐깐하던지 말도 못 꺼냈어…."

박 형사가 말끝을 흐리며 김 형사에게 조사 내용을 물었다.

김 형사는 머리를 긁적이며 말했다.

“말씀하신 대로 사건 범위를 한정해서 조사해 보니 얼마 되지 않았습니다. 담당에서 1년 동안 사망한 20·30대 여성은 총 20명 정도 됩니다. 지병이나 자살. 사고사로 확인된 것은 13건이었고 나머지 7건은 심장마비였습니다. 공포영화를 보다가 사망한 사건도 있고요. 다만 생각보다 돌연사가 많았습니다. 과거 통계와 비교해 봐도 현저히 늘어났고요. 그런데 맘에 좀 걸리는 사건도 있습니다. 3개월 전 대성동에서 사망한 가정주부인데 나이는 38세 이름은 곽정화. 직업은 보험설계사였습니다. 딸아이가 신고했는데 사망자 모습이 특이했습니다. 자기 손으로 목을 조르고 있는 모습이었습니다.”

“스스로 목을 졸랐다고?”

박 형사가 되물었다.

“예, 그런데 부검의 말로는 자기 목 졸림은 있었지만, 그것이 직접적인 사망 원인은 아니라고 했습니다. 추가로 아드레날린 과다분비가 있었고요. 그래서 쇼크에 의한 심장마비로 결론 내렸답니다.”

“아드레날린?”

박 형사가 움찔했다.

"다른 건 없어?"

"사망자는 남편과 사이가 좋지 않았던 것 같습니다. 이혼 준비를 하고 있었고 다른 남자가 있었습니다. 또 남편 말로는 악몽을 자주 꿨다는데 사망 전 며칠 동안 몹시 시달렸다고 합니다."

"악몽?"

김 형사의 입에서 '악몽'이라는 말이 나오자, 박 형사는 갑자기 소름이 돋았다. 그때 옆에 있던 강 형사가 무릎을 치며 말했다.

"아차! 깜박할 뻔했네. 휴대전화 말인데 메시지가 이상했어. 같은 내용의 메시지가 세 번이나 왔더라고 첫 번째는 밤 11시에 왔고 두 번째 것은 11시 30분. 세 번째는 자정쯤 왔어."

"문자메시지? 어떤 내용인데?"

박 형사가 재차 되물었다.

"몽현동 300번지. 233번째 화성대 공원 오전 9시. 무슨 약속을 했던 거 같은데…."

강 형사는 무엇이 의문스러운지 입술을 꽉 물었다.

잠시 생각하던 박 형사가 말했다.

"내가 조사한 이선영씨 사건하고 강 형사. 김 형사 조사 내용과 겹치는 게 있어. 이선영씨는 대학생이었고 가정형편 때문에 휴학하고 1년간 유흥업소에서 아르바이트했더군. 화해동 과 공통점은 '셀프사진' 배경이 같다는 점인데, 배정애씨가 상담소를 방문했는지는 다시 확인해 봐야 해. 다른 하나는 대성동 곽정화. 동곡동 이선영. 화해동 배정애. 세 사건의 부검 소견이 비슷해. 아드레날린 과다분비였어. 그리고 꿈에 관한 것인데….”

뜬금없는 단어가 나오자, 강 형사가 알 수 없다는 듯 물었다.

“꿈? 그게 무슨 말이야.”

“그게 말인데…. 곽정화씨가 사망하기 며칠 전부터 악몽을 꿨다고 했잖아. 이선영씨가 다녀온 심리상담소를 방문했던 사람들도 상담 후 꿈을 꿨다고 했거든. 그런데 국과수 유 박사님 말로는 가위눌림 같은 악몽을 꾸었을 때도 아드레날린 과다분비가 있을 수 있다고 했어. 그렇다면 다들 한번 추측해 보자고?”

박 형사는 조사 내용을 조합하여 설명했다.

제각기 직업도 나이도 다른 사람들이다. 이선영과 배정애는 사진이라는 공통점이 있었고, 보험설계사였던 곽정화. 이선영은 부검 결과 아드레날린 과다분비가 있었다. 또 확정할 수는 없지만 ‘꿈’이라는 단어가 겹쳤다. 전혀 연관성이 없어 보이는 개별적 사건들이었다. 하지만 조합해 보니 징검다리처럼 건너뛰며 유사점이 있었다.

앞으로 두 가지만 더 확인하면 될 듯했다. 첫째 보험설계사였던 곽정화씨와 이선영의 휴대전화 통화기록이다. 배정애와 같은 수신 번호가 있는지 찾으면 된다. 둘째 곽정화와 배정애 두 사람

모두 심리상담소를 방문했는지였다. 마지막 퍼즐은 꿈에 관한 것인데 이것은 확인하기 어려웠다. 적어도 사망자들한테서는….

*

사건 조사에서 중요한 것은 공통점과 차이점을 찾는 것이다. 서로 다른 별개의 사건처럼 보이지만 그 사이에서 두루 통하는 점이 있는지 차이 나게 다른 점이 있는지를 알아내야 한다. 다시 말해서 일정한 기준을 세우고 파고들면 연관성이 있는지 없는지 쉽게 파악할 수 있다. 그럴 때 비로소 올바른 판단을 할 수 있고 사건을 보다 더 명확히 설명할 수 있게 된다. 확실한 공통점만 찾으면 된다. 얼마 지나지 않아 사건의 윤곽이 나올 듯했다. 안개가 서서히 걷히고 있었다.

결국 박 형사의 수사회의는 기본에서 출발하고 있었다. 육감은 단지 기준을 세우는 표지석이었다.

*

그때 적막을 깨고 다급하게 느껴지는 전화벨이 울렸다. 또 하나의 사건이 발생했다. 경찰서 안은 다시 긴장감이 돌았다.

제10장

재 회

민수는 며칠간 상담소를 나오지 못했다. 심해진 두통과 화상 후유증이 원인이었다. 다시금 몸을 추스른 것은 특별한 전화 때문이다. 얼마 전 예약한 고객이었다.

상담소를 방문한 고객은 바짝 마른 모습에 손에 든 핸드백까지도 무거워 보였다. 몹시 슬프고 지친 모습이었다.

그녀는 의자에 기대앉았다. 고객들 대부분은 거울에 비친 자신을 보며 매무새를 다듬기 마련이다. 적어도 흐트러진 머리는 없는지 손 빗질이라도 한다. 하지만 그녀는 어떤 것도 하지 않고 피곤한 듯 눈을 감았다.

민수는 그녀가 쉴 수 있도록 아무 말 없이 기다렸다. 짧은 시간이지만 방해하고 싶지 않았다.

얼마 후 그녀는 궁금한 듯 조심스레 물었다.

"입구 벽화가 독특해요. 슬퍼 보이기도 하고 기뻐 보이기도 하고 신비한 느낌이네요. 어떤 그림이에요?"

민수가 약간 떨리는 소리로 대답했다.

"벽화는 미술학과를 다니는 학생이 그린 거예요. 처음에는 흰 벽이었는데, 어느 날 학생이 와서 빈 벽이 추워 보인다며 따뜻하게 만들어 주고 싶다고 하더군요. 어떻게 하면 되냐고 물어봤더니 사랑스러운 그림을 그려 넣으면 된다고 좋아하는 그림이 있냐고 묻기에 그림은 잘 모르지만, 이야기는 안다고 했습니다."

"어떤 이야기를 아시는데요?"

그녀가 힘없이 되물었다.

"단테의 '신곡' 이야기를 해줬습니다. 그랬더니 며칠 후 저 그림을 그려놓고 갔더군요."

"신곡을 읽어보셨어요?"

그녀도 아는지 관심을 보였다.

"몇 번을 읽어도 너무 어려운 책이죠."

마음에 무언가 교차하는 듯 민수의 목소리는 무거웠다.

"저 그림도 신곡 이야기인가요?"

그녀는 여전히 그림의 의미를 궁금해 했다.

"네, 원래 저 그림은 '윌리엄 블레이크'가 그린 19세기 삽화에요. 블레이크는 '신곡' 이야기를 주로 그렸는데 저 작품도 그중 하나죠. 그림을 조금 해석해 드리자면 커다란 거인은 '안타이오스'라는 신이고, 거인의 손에 의해 벼랑으로 옮겨진 두 사람은 단테와 베르길리우스입니다. 그림은 두 사람을 지옥으로 내려놓는 장면입니다."

"지옥이요?"

그녀가 뜻밖이라는 듯 눈을 뜨며 물었다.

"왜 하필 지옥이에요? 그림은 지옥처럼 보이지 않던데…."

"지옥이 별거 있나요."

민수가 한 호흡 쉬며 말을 이었다.

"지옥에 가면 어떤 글귀가 쓰여 있는지 아세요? 그 글귀를 보면 그곳이 지옥인지 아닌지 알 수 있다고들 하는데."

민수의 말에 그녀가 호기심을 보였다.

"글쎄요. 어떤 말이 쓰여 있는지 선생님은 아세요?"

"신곡에 보면 이런 장면이 나옵니다. 단테가 죽어서 다른 세계로 갑니다. 그런데 입구에 쓰인 한 줄의 글을 읽고 자신이 온 곳이 지옥인지 알게 됩니다."

"뭐라고 쓰여 있는데요?"

'이 문을 들어오는 자 모든 희망을 버릴지어다.'

"해석하면 지옥은 모든 희망이 사라진 곳이란 뜻입니다. 바꾸어 말하면 희망이 없는 곳. 희망이 사라진 곳이 곧 지옥이란 말이 되겠죠. 현재를 살고 있어도 삶의 희망이 없다면 지옥이나 마찬가지 아닐까요? 그 점에서 보면 살아있다고 이곳이 천국은 아닐 겁니다."

민수는 자기 심정을 말하듯 차분히 말했다.

그녀는 한참 동안 말이 없었다. 많은 생각이 스쳤다. 상담소장 말처럼 삶에 희망이 사라진 곳이 지옥이라면 자신은 지금 지옥에 살고 있는 것이 분명했다.

아쉬움이 남는지 그녀가 다시 물었다.

"하필이면 왜 지옥 그림을 그렸을까요? 아무리 봐도 느낌은 아닌데…."

민수가 이해를 도왔다.

"잘 보셨습니다. 그림 원작이 그렇단 이야깁니다. 실제 저 그림은 지옥이 아니라 천국을 그린 겁니다. 신곡 이야기를 듣고 학생이 천국으로 바꿔 그렸더군요. 거인이 단테가 그토록 사랑했던 여인 베아트리체를 찾아 함께 있도록 내려놔 주는 장면이지요. 그러니 저 그림은 지옥이 아니라 천국입니다."

그녀는 민수의 해석이 마음에 와닿았는지 무언가 골똘히 생각하는 모습이었다.

'그를 찾아야 한다. 그를 찾아야 한다.' 사랑하는 사람과 함께 할 수 있는 곳이 곧 천국이라면 ….

그녀는 속으로 몇 번이나 되 내이며 지옥에서 벗어나기로 마음먹었다.

시그널 2

제11장

악 몽

민수는 그녀를 긴장시키지 않으려고 조심스럽게 질문했다.

"어떤 고민이 있으세요?"

그녀는 몸을 곧추세우며 자세를 다듬었지만 쉽게 말을 꺼내지 못했다.

민수가 달래듯 쉬운 질문부터 다시 했다.

"성함이 어떻게 되세요?"

"차순영이라고 합니다."

상담이 시작되자 그녀는 급격히 긴장했다.

"걱정하지 마세요. 이곳은 안전해요. 보는 사람도 엿듣는 사람도 없습니다. 순영씨 마음을 보고 이야기한다고 여기세요. 거울에 보이는 사람은 순영씨 자신이니까요."

민수의 잔잔한 목소리가 순영의 경직된 마음을 풀어주었다.

"요즘 악몽을 꿔요."

순영이 힘겹게 말을 꺼냈다.

"그랬군요. 몹시 힘드시겠어요."

민수는 그녀의 말에 공감해 주었다.

"몇 번을 꾸어도 같은 꿈이에요. 같은 장소, 같은 사람, 같은 시간에요. 잠에서 깨도 생생해요. 잘 잊혀 지지 않아요. 다른 꿈은 잊히는데 그 꿈은 유독 현실 같아요."

"꿈에서 깨면 어떤 기분이세요?"

"몸이 아파요. 무섭고 찝찝하고 개운하지 않아요."

그녀는 꿈이 재생하기라도 하는 듯 몸서리쳤다.

"어떤 꿈이었나요?"

민수가 조심스레 물었다.

"밤이었어요. 가파른 골목을 계속 걸어 올라가고 있는데 갑자기 골목 위에서 오토바이 한 대가 "웽" 소리를 내며 빠르게 내려왔어요. 좁은 골목을 무서운 속도로 질주하면서요. 저를 매번 치려고 해요. 오토바이 불빛에 눈이 부셔서 앞도 보이지 않고 꼼짝 할 수 없이 몸이 얼어붙어요. 그럴 때마다 한 사람이 저를 안으며 옆으로 급히 피해줬어요. 그 순간 오토바이가 제 옆을 아슬아슬하게 스쳐 가요."

깡마른 그녀는 긴장한 모습이 역력했다. 겁에 질린 얼굴이었다.

"괜찮아요. 아무 걱정하지 마세요. 괜찮아요."

민수가 순영을 진정시키며 말했다.

"순영씨를 도와준 사람은 보셨나요?"

민수가 확인하고 싶은 것이라도 있는지 되물었다

"아니요. 보지 못했습니다. 양팔로 저를 감싸고 있다가 사라져 버려요. 어디로 갔는지 흔적도 없어요."

"사라진다고요?"

"네, 흔적도 없이 공기처럼. 더 무서운 것은 골목을 올라갈 때마다 계속해서 그 과정이 되풀이돼요. 어느 날은 하룻밤에 같은 꿈을 몇 번씩이나 꿉니다. 그때마다 누군가가 저를 구해주고요. 그렇게 꿈을 꾸고 일어나면 온몸이 몽둥이로 맞은 것처럼 아파요."

민수는 순영의 모습이 안쓰러웠다.

"꿈이지만 그곳이 어딘지 아시겠어요?"

"익숙한 동네인데 골목길 구조는 조금 달랐어요. 한진동 세화골목 같아요. 예전에 살았던 곳과 비슷했어요. 꿈이라 똑같지는 않았지만 느낌이 그곳이었어요."

*

꿈의 왜곡 현상 중 하나는 실제 인물이나 장소는 다르지만, 꿈속에서 인지할 때는 자신이 알고 있는 것과 동일한 것으로 느끼는 현상이다. 가령 실제 친구를 꿈속에서 만났을 때 전혀 다른 얼굴과 모습을 하고 있더라도 같은 사람이라고 느끼며 믿어지는 인지 상태이다.

*

한진동 세화 골목은 보육원이 있던 곳이다.

민수가 순영을 위해 꿈에 대한 설명을 덧붙였다.

"꿈이란 원래 그래요. 현실과 똑같이 투영되지는 않아요. 존재하되 왜곡되거나 변형되어 나타납니다. 현실과 별개로 또 다른 세계이죠. 그러나 꿈이 현실로 이어지거나 영향을 주는 예는 없습니다. 현실이 꿈에 영향을 주기는 하지만요. 그러니 너무 걱정하지 마시고 좋은 생각을 많이 하세요.”

*

민수는 조금이라도 두려움을 덜어 주려고 거짓말을 섞었다. 그의 말이 아주 틀린 것은 아니다. 다만, 꿈도 현실에 영향을 주는 경우가 있을 뿐이다.

민수는 그녀의 꿈이 상상된 꿈이 아니란 사실을 안다. 이런 종류의 꿈은 현실에서 비슷한 경험을 했을 때 나타난다. 간단히 말해서 트라우마이다. 정신적 충격을 심하게 당한 사람들에게서 일어나는 현상이다.

*

트라우마의 특징은 선명한 시각적 이미지를 동반하는 일이 많다. 이러한 이미지는 장기기억으로 저장돼 비슷한 상황이 일어나면 언제나 반복되며 불안과 공포를 준다. 현실에서 겪었던 고통이 꿈에서도 끊임없이 재현되는 것이다. 따라서 순영의 꿈에는 비밀이 있는 것이 분명했다. 민수는 그것이 무엇인지 알아야 했다.

순영에게 물었다.

“밤길을 걷다가 심하게 놀란 적은 없으세요? 과거라도 좋습니다. 골목이나 외진 곳에서 무서운 일을 당한 적은 없으셨나요? 솔직하게 말씀해 주셔야 악몽에서 벗어날 수 있습니다. 저를 믿으세요. 그러면 돼요.”

익숙한 말투였다. 순영을 안도시키는 말이었다. 자주 들었던 말과 비슷했다. ‘나를 믿어요. 그러면 돼요.’ 순영은 거울 뒤 사람이 궁금해졌다.

*

순영이 숨을 고르며 힘들게 입을 떼었다.

“고등학교 때였어요. 집으로 돌아오던 길에 골목에서 괴한을 만났어요. 다행히 어떤 아저씨가 저를 구해주셨습니다. 그런데 다음 날 뉴스를 보니 그 아저씨가 그만…….”

순영은 말을 잇지 못했다. 자신이 큰 잘못을 저지른 것처럼 고개 숙인 채, 두 손으로 얼굴을 가리고 소리 죽여 울었다.

민수는 당장이라도 거울 밖으로 나가서 위로해 주고 싶었다. 하지만 그렇게 하지 못했다. 거울 밖은 민수의 세상이 아니다. 자신의 모습이 원망스러웠다.

「악몽은 현실에서」

순영이 상담소에서 고백한 말은 진실의 일부였다. 사실 순영에게는 숨기고 싶은 일이 있다. 누구에게도 말하지 못한 일이다. 그때를 생각하면 지금도 무섭고 떨린다.

*

순영에게 그날 밤은 몸서리쳐지도록 두려운 날이었다. 죽음을 코앞까지 마주한 날이었기 때문이다. 그것도 아주 가까이 있는 사람에게 당한 일이다. 보육원에서 함께 자란 친한 오빠였다. 순영보다 세 살 많았던 스무 살 태수이다.

*

태수는 당시 스무 살이지만 고등학교 3학년이었다. 천재라고 불릴 만큼 공부를 잘했다. 그러나 보육원에서도 학교에서도 교우관계는 원만하지 못했다. 갑자기 돌변하는 성격 탓이었다. 말수가 적고 자기감정 표현도 잘 하지 않았다. 주변 사람들은 그가 어떤 생각을 하고 있는지 도무지 짐작조차 하지 못했다. 보육원 선생님들조차 태수를 조심스러워했다. 저마다 원인은 있겠지만 태수 성격이 비뚤어진 데는 외모 콤플렉스(complex)도 한몫했을 거라고만 여겼다. 왜냐하면 태수는 언청이였기 때문이다.

언청이란 얼굴에 생기는 선천성 기형 중 하나로 입술이 갈라진 질환이다. 입술, 잇몸, 입천장이 좌·우로 갈라져서 입을 다물고 있어도 이빨이 보인다. 공식 명칭은 '구순구개열'이다. 비교적 흔한 질환이지만 어린 시절 많은 놀림을 받았다.

*

보육원에서 순영은 태수를 친오빠처럼 여겼다. 맛있는 먹거리가 있으면 몰래 챙겨다 주었다. 생일이나 상을 받아오는 날이면 용돈을 모아 선물도 했다. 다른 이들이 태수를 험담하거나 꺼릴 때는 속이 상해 싸운 적도 있다. 그런 것을 태수도 알고 있기에 순영에게 만큼은 유독 부드럽게 대하였다.

솔직히 태수는 순영을 좋아했다. 가족이나 동생이 아닌 이성으로써 자기 마음을 고백했다. 그런데 그 마음을 순영은 알지 못했다. 순영은 자기 행동이 태수를 오해하게끔 했다는 사실을 알고 솔직히 말했다. 이성이 아닌 가족애의 감정에 가까운 것임을 설명하였다. 그 뒤로 순영을 대하는 태수의 태도가 변했다. 정확히 말하면 다른 이들과 똑같이 대하였다. 무관심하고 냉정하게….

*

어느 날 밤늦게 학교에서 돌아오는 순영을 기다리는 사람이 있었다. 가로등이 드문드문 있는 골목을 힘겹게 오르는데 앞에 불쑥 나타났다.

어두운 하늘과 땅 그림자가 뒤섞여 얼굴은 흐릿했지만 분명

태수였다. 아는 체를 할 사이도 없이 순영의 얼굴에 묵직한 손찌검이 느껴졌다.

"너 같은 이중인격자는 죽어야 해. 너도 속물이야!"

태수는 순영의 목을 조르며 증오하듯 말했다. 아무리 힘을 써도 악에 받친 태수를 당할 수 없었다. 그때 멀리서 한 사람 달려왔다.

"거기 뭐 하는 거야? 당신 누구야?"

사내는 태수와 눈이 마주쳤다. 하지만 태수는 꿈쩍 않고 순영의 목을 졸랐다. 사내는 신고 있던 구두를 벗어 태수의 뒤통수를 사정없이 내리쳤다. 태수는 머리를 손으로 감싸며 웅크렸다. 그때 사내가 태수를 밀치고 순영을 일으켜 세웠다. 태수는 비틀거리며 가로등 빛 밖으로 달아났다.

*

얼굴이 파랗게 질려버린 순영은 몸을 제대로 가눌 수가 없었다. 사내는 떨고 있는 순영을 부추겨 택시를 태워 경찰서로 보내주었다. 하지만 그날 순영은 경찰서로 가지 않았다. 그렇다고 보육원으로도 돌아가지 않았다.

순영은 그런 일을 겪은 사람이다. 그 뒤에 일어난 일을 알게 된 것은 다음 날 뉴스였다.

순영을 도운 사내가 다시 골목을 되짚어 올라갈 때 누군가 앞에서 걸어왔다. 두 사람의 거리는 점점 가까워졌고 서로 비껴가는 순간 사내는 목을 감싸 쥐었다. 순간 고개가 숙어지고 그때 남자는 사내의 등을 무언가로 찔렀다 빼기를 반복했다. 사내는 쓰러져 부르르 떨었다. 정체 모를 남자는 가로등 빛 밖으로 다시 사라졌다.

*

죽음이다. 누군가 누군가를 죽였다. 죽음은 선한 자와 악한 자를 구분하지 않는다. 언제 어떤 식으로 다가오는지도 알 수 없다. 그래서 죽음은 무섭고 슬프고 안타깝다. 더욱이 그것이 살인이라면…….

민수는 순영이 진정되기까지 한참 동안 기다렸다. 그저 보기만 할 뿐 다른 방법이 없었다. 그가 할 수 있는 최선이었다.

*

순영의 트라우마는 단순하지 않았다. 저런 상태라면 혼자 밤길을 걷지 못할 정도로 공포가 심할 것인데 그동안 어떻게 버티었는지 애처롭고 가여웠다.

민수가 할 수 있는 방법은 두 가지다. 최면을 통해 기억을 지우거나 아니면 상황을 재현해서 맞서게 하는 것이다. 기억을 지우면 문제가 있다. 삶에 고리가 사라지기에 자기 의문을 품게 할 수 있다. 의문은 다시 기억을 쫓을 테고 언제일지는 모르지만, 기억은 다시 그 공포를 되살려낼 수도 있다. 악순환이 반복되는 것이다. 그렇지 않으면 상황을 재현하여 극복해야 한다. 방법은 최면과 꿈을 이용하는 것이다. 어렵고 위험한 치료법이다. 어찌 되었든 민수가 순영의 삶에 개입할 수밖에 없게 되었다. 그녀의 꿈속으로 들어가야 했다. 왜곡된 꿈에서 어떤 일이 벌어지고 있는지 더 자세히 알아야 했다.

*

사실 민수에게는 특별한 능력이 있다. 최면을 통해 다른 사람 꿈속을 드나들 수 있다. 그는 이러한 능력을 이용하여 상담자에 따라 이상적인 데이트를 해주기도 하고, 트라우마가 심할 때는 상황을 재현하여 극복하게 도와준다.

이것을 아는 사람은 없다. 이 일은 위험을 담보로 한다. 잘못 되어지면 상담자나 민수가 죽을 수도 있다. 그래서 민수의 상담은 다른 이들하고 다르다.

*

순영이 감정을 추스른 듯 보이자 민수가 말했다.

“걱정하지 마세요. 지금부터 제가 도와드리겠습니다.”

“아무 걱정하지 마시고 앞에 쓰이는 글자를 편안한 마음으로 따라 읽으세요.”

“무엇인데요?”

그녀가 의아해하며 물었다.

“순영씨 트라우마를 위한 치료 방법이에요. 마음을 편안하게 하는 주문 같은 겁니다. 걱정하지 마세요.”

재차 순영을 진정시키고 최면을 걸었다.

“몽현동 300번지. 240번째 한진동 세화 골목 밤 9시.”

천천히 순영이 따라 읽자, 실내등이 꺼졌다 켜졌다.

마지막으로 민수가 말했다.

“제가 오늘 밤늦게 메시지를 보낼 겁니다. 잠들기 전 꼭 읽어 보세요. 꿈을 물리치는 주문입니다. 악몽을 꾸지 않으실 거예요.”

상담을 마친 민수는 가슴이 먹먹했다. 사실 그녀는 민수가 떠나온 사랑하는 사람이다. 오랜만에 보았지만, 앞에 나설 수 없는 자신이 미안하고 비참했다.

제12장

용의자

박 형사가 출동한 곳은 창신동이다. 사망자는 29세 미혼. 이름은 '심하경' 무직. 최초 발견자는 전 동거남이었다.

*

"최초 발견자가 누구세요?"

박 형사가 찾았다.

천장을 보고 허탈해하던 남자가 대답했다.

"저. 접니다."

"발견 당시 어땠나요?"

"보신대로입니다. 지금 모습 그대로예요."

"어떤 사이세요?"

"동거하던 사이였습니다. 부모님 반대로 잠시 떨어져 있기로 했지만, 오늘은 여행 가기로 했고요. 그런데 새벽부터 전화해도 받지 않기에 늦잠을 자고 있나 싶어서 들어왔더니……."

남자는 망연자실한 모습이었다.

"평소 지병이나 복용 중인 약은 없었나요?"

"없었습니다. 최근 직장을 그만두고 쉬고 있던 참이었습니다."

동거남은 울먹였다.

박 형사는 사건 현장을 꼼꼼히 둘러보았다. 사망한 심하경의 모습은 특이했다. 몸을 잔뜩 웅크린 채 왼쪽 옆구리를 손으로 움켜잡고 있었다. 무척 고통스러웠던 모양이다. 단순히 지나칠 일이 아니었다.

*

사건 현장에는 '다잉메시지'가 존재한다. 누군가 죽으면서 남기는 메시지이다. 현장을 조사하는 사람들에게 중요한 증거를 제공하는 동시에 실마리를 준다. 특히 살인사건의 경우 '다잉메시지'를 찾아내는 것은 매우 중요하다. 사망자가 죽기 직전 마지막 힘을 다해 억울함을 남기는 처절한 흔적이기 때문이다.

*

박 형사는 휴대전화기부터 찾았다. 몸부림을 쳤는지 침대 밑으로 떨어져 있었다. 그 속에 또 다른 단서가 남아있길 바랐다. 하지만 잠금 패턴이 좀처럼 풀리지 않았다. 상황이 꼬여가는 느낌이었다. 박 형사는 할 수 없이 김 형사에게 건네며 수신 번호와 사진을 확인해 오라고 지시했다.

'그놈이야. 분명 그놈 짓이야!'

박 형사는 누구인지 예감한 듯 혼잣말로 중얼거렸다. 두 번이나 찾아갔지만 문은 굳게 닫혀있고 연락도 되지 않았다. 더는 지체할 수 없었다. 그렇다고 막무가내로 체포할 수도 없는 노릇이었다. 구체적인 물증을 확보해야 했다.

박 형사는 다시 심리상담소로 향했다. 우선 주변 폐쇄회로 카메라를 모두 조사했다. 작은 단서라도 될 수 있는 것이라면 놓칠 수 없었다. 다행히 상담소를 방문하는 심하경의 모습이 담겨있었다.

늦은 밤, 긴급 수사 회의가 다시 열렸다. 그동안의 수사 진행에 관한 정보를 공유할 때가 되었다.

첫째 부검 결과 사망자들은 모두 아드레날린 과다분비라는 공통점을 가지고 있었다. 둘째 곽정화를 제외한 이선영. 배정애. 심하경은 심리상담소를 방문했다. 셋째 김 형사가 조사한 통화내역 결과 늦은 시각 사망자들은 같은 번호에서 걸려 온 문자메시지를 받았다.

동곡동 이선영에게 보내진 문자 메시지는 이렇게 쓰여 있었다.

"몽현동 300번지. 232번째 키다리 우체국 앞 11시."

화해동 배정애의 문자메시지도 같은 패턴이었다.

"몽현동 300번지. 233번째 화성대 공원 오전 9시."

창신동 심하경에게 보내온 문자 메시지 역시 같았다.

"몽현동 300번지. 235번째 하데스 카페 12시 정오."

우연의 일치일 수도 있지만 단어의 구성 배치가 정확히 동일하기는 쉽지 않다. 한 사람이 보낸 메시지가 분명했다.

박 형사는 직감했다. 연쇄살인이다. 더욱 놀라운 사실은 사망자들에게 걸려 온 전화번호가 박 형사가 알고 있는 번호였다. 바로 심리상담소장의 연락처였다.

드디어 윤곽이 드러났다. 그렇지만 변한 것은 아무것도 없었다. 막막함은 그대로였다. 상담소를 방문하고 문자메시지를 보냈다고 살인의 증거가 될 수는 없다. 결정적인 무언가를 찾아야 한다.

밤새 침묵만 흘렀다.

'무슨 일이 있었던 것인가?'

'무엇을 상담했는가?'

도무지 알 수 없는 상황이었다. 미궁(迷宮)에 빠졌다.

*

길을 가다가 길을 잃으면 가장 먼저 해야 할 행동은 멈춰 서는 것이다. 움직이면 움직일수록 목적지와 멀어질 수 있다. 그때는 방향부터 다시 정해야 한다. 만약 방향 설정이 어렵다면 왔던 길로 되돌아가야 한다. 자신이 잘 알고 있는 익숙한 길이 나올 때까지 되짚어가야 한다. 그래야만 더 큰 위험에 빠지는 것을 막을 수 있다.

*

수사도 마찬가지다. 막막할 때는 기준부터 다시 잡아야 한다. 우선 용의자를 지목해야 했다. 박 형사는 얼굴조차 보지 못했던 그를 용의자로 지목했다. 심리상담소장이다.

시그널 2

제13장

순영의 꿈

순영은 잠들기가 두려웠다. 꿈을 꿀까 봐 겁이 났다. 그때 문자메시지가 도착했다. 심리상담소에서 보낸 것이다.

"몽현동 300번지. 240번째 한진동 세화 골목 밤 9시."

문자를 받은 순영은 긴장되고 떨렸다. 이대로라면 도저히 잠을 잘 수 없을 것 같아 수면제 몇 알을 입에 털어 넣었다.

잠시 후, 순영이 눈을 떴을 때 보인 것은 몽현동 300번지라고 쓰인 집 앞이었다.

문을 열고 들어서자 어두운 골목이 나타났다. 악몽의 장소다. 심장이 다시 뛰었다. 순영은 어두운 골목을 빠져나가려 걸음을 재촉했다. 그때 앞에서 밝은 빛을 켠 오토바이 한 대가 쏜살같이 달려왔다. 순간 한 남자가 자신의 몸을 감싸며 옆으로 비켜주었다. 순영은 그 남자를 보기 위해 숙였던 고개를 들었지만 남자는 어느새 사라지고 없었다. 똑같다. 너무도 똑같이 반복되는 꿈이다. 헤어날 수 없는 미로에 갇혀 맴도는 느낌이다.

*

그쯤 민수도 순영의 꿈속에 들어와 있었다. 그녀가 두려움에 떨까 봐 이곳저곳 골목을 누비고 다녔다. 시간이 지나도 그녀의 모습이 보이지 않아 초조해졌다. 몇 군데로 갈라진 골목을 일일이 살펴보기에는 시간이 부족했다. 사실 민수가 타인의 꿈속에 머물 수 있는 시간은 한정되어 있다. 꿈속 시간으로는 길게 느껴지지만 현실 시간으로는 최대 3시간밖에 되지 않는다. 따라서 꿈 접속을 통해 상담자들의 고민 해결이나 트라우마 치료를 하기 위해서는 시간 계산이 무엇보다 중요하다.

*

사람은 누구나 꿈을 꾼다. 하룻밤 평균 꾸게 되는 꿈의 횟수는 5번에서 6번 정도다. 이 중 잠에서 깨어났을 때 기억하는 꿈은 하나 정도밖에 되지 않는다. 이 역시 의식이 완전히 회복되고 2시간이 지나면 대부분 희미해진다.

민수는 이런 사실을 잘 알고 있다. 부족한 것은 시간이다. 꿈은 절대 무시할 수 없는 위험한 현상이다. 만약 꿈속에서 죽음을 맞이하면 실제로 죽게 된다. 따라서 위험한 상황의 트라우마를 재현 할 경우 시간을 제때 맞추지 못하면 돌이킬 수 없는 일이 벌어질 수도 있다.

민수가 걱정하는 것이 바로 이런 점이다. 순영의 꿈은 위급한 상황에 놓이는 꿈이다. 이를 민수가 재생하였기에 제시간에 순영을 찾지 못하면 예기치 않은 일이 벌어질 수도 있다. 그나마 다행인 것은 꿈속에서 민수는 장애가 있는 모습이 아니라는 점이다. 건강한 신체를 지닌 본래의 모습으로 재생된다. 그만큼 활동에 제약은 없어진 셈이다.

민수는 마음이 급했다. 많은 골목을 일일이 뛰어다니며 찾을 수 없는 노릇이었다. 하는 수 없이 골목에 세워진 배달용 오토바이를 올라탔다. 오직 순영을 찾을 생각만 했다. 핸들에 달린 엑셀을 힘껏 당겼다. '웽' 소리와 함께 오토바이는 골목골목을 누볐다.

언덕 아래 사람이 보였다. 그녀이기를 바라며 민수는 그곳을 향해 골목길을 빠르게 내달렸다. 가까이 다다랐을 때 갑자기 한 남자가 그녀를 휘감았다.

'그놈이다.'

민수는 한 손을 뻗어 남자의 옷 가죽을 잡아당겼다. 짧은 순간 그와 눈이 마주쳤다.

"어! 너는…."

민수가 깜짝 놀라는 순간 뜻하지 않은 상황이 벌어졌다. 그만 잠에서 깨어났다. 엄밀히 말하면 꿈속에서 튕겨져 나온 것이다. 갑작스러운 이 상황에 민수는 혼잣말을 되 내었다.

'무슨 일이 생긴 걸까?'

꿈에서 튕겨 나오는 경우는 세 가지다. 꿈속에 머무는 시간을 넘겼을 때와 현실에서 신체가 외부로부터 심한 자극을 받아 의식이 깨어났을 때이다. 그러나 이번의 경우는 달랐다. 꿈에 머물 시간이 아직 남아있었다. 외부 자극도 없었다. 그렇다면 마지막 한 가지밖에 없다. 꿈과 꿈을 연결해 주는 채널러 다시 말해서 꿈 접속을 통해 공간을 제공해 주는 사람에게 문제가 생긴 것이다.

*

민수의 꿈 접속은 대상자의 꿈에 직접 들어갈 수 있는 방식이 아니다. 채널러와 접속하는 것이며 내담자에게도 최면을 걸어 채널러의 꿈속으로 초대하는 방식이다. 결국 내담자의 꿈에 직접 접속하는 방식이 아니라 채널러의 꿈속 공간을 빌려 쓰는 방식이다. 이 때문에 채널러가 깨어나게 되면 꿈속 상황이 종료되어 버린다.

최면 역시 잠이 들게 하는 것이 아니다. 내담자가 자연스레 잠들면 최면은 암시한 꿈속 상황으로 도달하도록 안내하는 역할을 한다. 따라서 민수는 초기 꿈 설정의 설계자일 뿐 꿈속에서 일어나는 여러 가지 변수들까지는 예측 불가능하다.

*

민수는 순영의 꿈속 상황을 보았다. 문제해결을 위해 나섰지만, 뜻밖의 일로 인해 해결할 수 없었다. 아쉽지만 또 한편으로는 다행스러웠다. 왜냐하면 오늘 밤 순영은 더 이상 악몽을 꾸지 않을 수 있기 때문이다. 채널러가 깨어있는 상태라면 꿈 접속은 불가능하다. 이 점은 민수도 마찬가지였다.

시그널 2

제14장

미 궁

박 형사는 밤새워 회의했지만 뾰족한 수가 나오지 않았다. 더는 기다릴 수 없었다.

날이 밝자 화가 잔뜩 난 얼굴을 하고 상담소로 향했다. 금방 행패라도 부릴 듯 출입문을 힘껏 밀치고 들어섰다.

“거! 얼굴 좀 봅시다. 거울 뒤에 있지 말고 나와 보세요!”

“빨리 나와 보란 말이야!”

박 형사가 거울을 걷어내려 다가섰다. 그러자 정면의 커다란 거울이 빙그르르 회전하더니 뒤편에서 상담소장이 모습을 드러냈다. 민수였다.

앞머리를 길게 내려 얼굴을 반쯤 가린 모습에 다리는 절룩거렸다. 한쪽 손의 손가락들은 한 덩어리였고 다른 손은 지팡이를 짚고 있었다.

박 형사는 말문이 막혔다. 조금 전과 달리 아무 말도 하지 못하고 잠시 물끄러미 바라봤다. 자신이 생각했던 모습과는 너무도 달랐기 때문이다.

박 형사의 눈에 비친 민수의 몰골은 처참했다. 그러나 범죄란 모습에서 행해지는 것이 아니라 마음가짐에서 일어나는 것이다. 연민은 형사에게 치명적이다. 이성으로 사람을 바라보고 판단해야 했다.

“어떤 일로 오셨어요?”

상담소장이 말을 건넸다.

"내가 온 이유를 짐작할 텐데요? 전화는 받지 않고 상담소는 닫혀있고 도대체 당신 뭐하는 사람이야?"

박 형사는 분을 삭이지 못한 듯했다.

"천천히 한 가지씩 물어보세요. 무슨 일인데 그러세요?"

민수가 의자에서 일어서려 하자 박 형사는 두 손으로 민수의 어깨를 누르며 다시 앉혔다.

"심하경씨 아시죠?"

"심하경씨요? 왜 그러시는데요?"

"알아? 몰라?"

박 형사가 다그쳤다.

"무슨 일인지는 모르지만, 얼마 전 다녀가셨던 고객입니다."

"심하경씨가 사망했어. 이곳을 다녀간 뒤로…."

"이선영씨는?"

"이선영씨요? 잘 기억나지 않는데요."

박 형사는 민수 앞에 사진을 펼치듯 내 던졌다.

"당신! 이 사람들 몰라?"

사진 속 얼굴을 보니 상담소를 다녀간 고객들이었다.

"이 사람들 모두 죽었어. 당신 상담소를 다녀간 이후 모두 사망했다고. 도대체 무슨 짓을 한 거야? 왜 죽었냐고?"

박 형사는 화가 치밀었다.

민수는 도대체 무슨 말을 하는 것인지 어리둥절했다.

"그분들이 왜 돌아가셨는데요?"

민수가 오히려 되물었다.

"묻고 싶은 건 나야. 왜 여기에 왔는지 당신이 알잖아?"

박 형사는 민수의 눈빛 하나 몸짓하나 표정까지도 놓치지 않고 세세히 살폈다.

"저는 모르는 일입니다. 고민 상담을 했을 뿐입니다."

"어떤 상담을 했는데?"

"그건 말씀드리기 어렵습니다. 개인 정보여서요."

단호한 민수의 대답에 박 형사는 분통이 터졌다.

"지금 사람이 네 명이나 죽었어! 당신 상담소를 다녀간 사람들이. 내 말이 무슨 뜻인지 알기나 해?"

"저한테 왜 이러세요. 제가 그분들을 죽였다는 말씀이세요?"

"당신 맞잖아?"

"저는 모르는 일입니다. 이렇게 찾아와서 막무가내로 범죄자 취급하는 것은 협박입니다."

민수는 몸이 아팠지만 내색하지 않은 채 허리를 곧게 펴고 또박또박 말했다.

박 형사의 얼굴이 붉으락푸르락했다. 피가 마르는 것처럼 목이 타들어 갔지만 화를 꾹꾹 참으며 마음을 가라앉혔다.

"그럼 좋아요. 사망자들이 와서 무슨 상담을 했는지 알려주세요. 억울한 죽음은 밝혀야 하지 않겠습니까?"

민수는 잠자코 듣기만 했다. 서로 간에 더 이상 말이 없었다.

"문자메시지는 어떻게 된 겁니까?"

박 형사는 사망자들에게 보내진 문자 메시지를 민수에게 내밀었다.

"당신이 보낸 거 맞죠? 이게 무슨 뜻입니까?"

민수의 낯빛이 순간 변했다.

"제가 보낸 겁니다. 그런데 별거 아닙니다. 만날 곳을 안내 해 드린 겁니다."

"상담소가 아니라 다른 장소에서 만났다는 말인가요?"

"아닙니다. 만나지 않았습니다. 암호 같은 겁니다."

"암호요? 그게 무슨 말입니까? 지금 만날 장소라고 하지 않았나요? 장소를 암호로 정해요?"

박 형사는 집요하게 캐물으며 몰아붙였다.

*

민수는 두통이 일었다. 머리가 깨질 듯 아팠다. 저절로 인상이 쓰였다. 박 형사는 민수의 행동이 미심쩍었다. 분명 뭔가를 숨기는 것처럼 보였다. 아픈 표정도 질문에 대한 회피 같았다.

때를 놓치지 않고 박 형사가 채근했다.

"거짓말하지 마세요. 만났잖아요. 무슨 일이 있던 겁니까?"

"그만, 그만. 당장 나가세요. 여기서 당장 나가!"

별안간 민수는 고함을 치며 신경질적으로 반응했다. 그러고는 손까지 떨며 호주머니에서 무언가 꺼냈다. 약통이었다. 한 손으로 뚜껑을 열다가 그만 바닥에 떨어뜨렸다. 알약이 사방으로 쏟아졌다.

박 형사는 '또르르' 구르는 약통을 집어 들었다.

'아이 알 코돈' 마약성 진통제였다.

민수는 뭉개진 손으로 바닥을 더듬거리며 약을 찾았다. 마치 정신 나간 사람처럼 보였다.

그 모습을 보고 박 형사가 약을 집어 주었다. 민수는 두 알을 한입에 톡 털어 넣고 얼마나 급한지 침으로 꿀꺽 삼켰다.

박 형사는 바닥에 앉아 머리를 감싸며 참고 있는 민수의 모습이 왠지 측은했다. 갑작스러운 행동이지만 심상찮아 보였다. 좀 전의 모습과는 전혀 달랐기 때문이다.

*

얼마 후 민수가 입을 떼었다.

"형사님 죄송하지만, 오늘은 그만 돌아가 주실 수 없겠습니까? 제가 몸이 너무 아픕니다. 괜찮아지면 전화하겠습니다. 부탁입니다. 제발 돌아가 주세요."

박 형사를 보며 말하는 민수의 모습이 처절했다. 예사 통증이 아닌 것은 분명했다.

박 형사는 찜찜했지만, 일단은 한발 물러났다.

"알겠습니다. 오늘은 그만 가겠습니다. 다음에 다시 오죠."

민수의 행동은 분명 이상했다. 아파 보이기도 했지만 무언가 숨기는 것도 있어 보였다.

박 형사는 상담소를 나오며 어딘가로 전화했다.

"강 형사? 몽현동 조사해 봤어?"

"응. 그런데 그게 좀 말이야."

강 형사가 애매모호한 대답을 했다.

"몽현동은 실제 주소가 아냐."

"몽현동이 없다고? 그러면 그 주소는 뭔데?"

"비슷한 명칭이 있기는 한데 현동 300번지야."

*

강 형사가 파악한 내용은 이러했다.

전국을 조사 했지만 '몽현동'이란 곳은 없었다. 가장 비슷한 곳이 현동 300번지였다. 현동은 과거 '몽현리'라고 불렸다는데 실제 명칭은 아니었다. 다만 그럴듯한 내력이 있었다.

*

옛날 갈림길이 많은 현동에만 오면 나그네들이 길을 잃기 일쑤였다고 한다. 특히 밤에 길을 헤매다 보면 예기치 않게 기이한 일을 겪게 된다고 했다. 마치 귀신에 홀린 것처럼 헛것을 보기도 하고 정신이 몽롱해져서 한동안 꿈인지, 생시인지 분간하지도 못했다고 한다. 그래서 사람들에게 현동을 꿈속 같은 곳이라 하여 '몽현리'라고 불렀다.

*

현재는 전원주택단지가 조성되고 있는 곳으로써 시 외곽에 자리 잡고 있었다. 현동 300번지는 커다란 삼거리 역할을 하는 곳으로 고풍스럽게 지어진 주택 한 체가 자리 잡고 있었다.

강 형사가 그 집을 방문해서 만난 사람은 중년 여성이었다. 여성의 아들은 희소병을 앓고 있었는데 '클라인레빈증후군(Kleine-Levin syndrome)'이다. '반복성 과다수면증'이라는 질환으로 하루에 18~20시간 정도 잠을 잔다. 나머지 시간도 무의식 상태에서 생리적 현상을 해결하기 위해 움직일 뿐이다. 지금까지는 원인이나 치료 방법도 전혀 없다. 증상은 수일에서 수주까지 지속되기도 한다. 정상적인 생활이 불가능한 상태로써 보통은 10대 시절에 발병하여 10년 정도 앓지만, 예외인 경우도 있다.

여성의 아들은 병을 앓은 지 10년이 넘었지만, 아직도 호전되지 않은 상태였다. 강 형사가 방문한 날도 며칠째 수면 중이었다.

박 형사가 예상하지 못한 결과였다.

“그런 병도 있어? 처음 듣는데.”

“이상한 점은 없어. 이 사건하고 연관성이 없어 보여.”

강 형사의 목소리에 실망감이 묻어났다.

*

어떤 일의 결과는 반드시 원인이 있기 마련이다. 원인은 어떤 일이 일어나게 된 근원이 되는 까닭이며 이유가 된다. 문제해결을 위해 원인을 찾는 것은 매우 중요하다. 사건 해결 역시 같은 원리다. 일어난 결과를 바탕으로 원인을 추적하는 과정이다. 하지만 간과하지 말아야 할 점이 있다. 결과에는 원인이 있는 동시에, 결과가 원인이 되어, 또 다른 사건이나 결과를 가져올 수도 있다. 따라서 모든 결과는 인접한 가능성에 대하여 연관성이 있음을 배제하지 말아야 한다.

*

지금의 사건 역시 결과는 있다. 누군가 죽었다. 나름의 공통점도 있다. 단서를 나열해 보면 분명 연관성이 있을 것이다.

박 형사는 강 형사가 말한 ‘연관성이 없어 보인다.’라는 말에서 연관성을 찾기로 했다.

시그널 2

제15장
살인의 이유

사람이 다 가질 수는 없다. 모두 가지려고 하는 순간 범죄가 일어난다. 아무리 욕구가 일어도 스스로 통제할 수 있어야 한다. 따지고 보면 범죄는 자기관리 부족에서 비롯되는 것으로 아무리 합당한 논리를 펴더라도 정당화되기 어렵다. 적어도 피해자에게는 더욱 그렇다. 그러므로 용서란 결코 가벼운 단어가 아니다.

「정화의 꿈」

정화에게 문제가 생겼다. 직장 때문에 부부 사이가 점점 나빠지고 있었다. 보험 설계 일을 하면서부터 남편의 의처증이 심해졌다. 업무적으로 다른 사람을 만나거나 귀가 시간이 늦어지면 남편은 밤새워 심문하듯 캐물었다. 아무리 부정해도 자신이 생각하거나 원하는 답변이 나오지 않으면 집요하게 물고 늘어졌다.

날이 갈수록 지쳐갔다. 더 이상 결혼 생활을 지속하는 것이 무의미했다. 하지만 아이 때문에 망설이고 있었다.

그쯤 정화에게 새로운 사람이 다가왔다. 직장 상사였다. 남편의 우려가 현실로 일어난 것이다.

정화는 스트레스로 인해 며칠 동안 제대로 잠을 자지 못했다. 또한 잠이 들면 알 수 없는 악몽을 꿨다.

고민 끝에 심리상담소를 찾아갔다. 심리상담소는 병원이 아니기 때문에 의료기록이 남지 않는다. 하소연도 실컷 할 수 있을뿐더러 마음을 추스르는 데 도움이 됐다. 그렇게 심리상담소를 다녀온 날은 기분이 조금 나아지곤 했다.

*

정화가 꿈꾸던 가정은 이런 것이 아니다. 지극히 소박했다. 경제적으로 부유하지 않더라도 가족이 건강하고 남편과 일과를 조곤조곤 나눌 수 있을 정도면 충분했다.

그러나 교통사고로 인해 남편이 아프면서부터 정화의 꿈은 무너지기 시작했다. 수다도 잘 들어주던 남편이었다. 쉬는 날에는 요리도 해주고 주말이면 가족과 함께 가까운 곳이라도 다녀오곤 했다. 정화는 그 시절이 그립다. 그래서 꿈꾼다. 비록 몸은 불편해졌지만, 마음만은 그때처럼 돌아오기를 바랐다.

자정 무렵 심리상담소에서 문자메시지가 왔다. 잠깐이라도 잠을 잘 기회가 온 것이다. 메시지 확인 후 정화는 잠들었다.

'몽현동 300번지'

문을 열고 들어서자, 자기 집이었다. 남편이 저녁을 차려놓고 아이와 기다리고 있었다.

"어서 와. 힘들지? 여기 앉아."

남편이 건네는 세 단어. 얼마 만에 듣는 말인가. 얼마큼 듣고 싶었던 말인가. 정화는 이제까지 쌓였던 서운함이 눈 녹듯 사라졌다.

*

오랜만에 맞는 밥상이었다. 보글보글 끓인 된장찌개와 노릇하게 익은 계란말이. 냉장고에서 갓 꺼낸 싱싱한 김치까지 정감 어린 식탁이었다. 놓여 진 반찬 개수보다 가족이 바라보며 미소 짓는 횟수가 더 많은 시간이었다. 이것이 행복이다. 정화가 바라는 모습이었고, 이것이 꿈이었다.

남편이 말했다.

"내일 소풍 갈까?"

"어디로?"

정화가 궁금한 듯 물었다.

"근방에 있는 호수. 오래간만에 데이트합시다."

남편이 웃으며 말했다.

둘만의 소풍이다. 남편보다 정화가 더 들떴다.

집에서 30분 정도 외곽으로 나가면 볼 수 있는 호수였다.

환상적인 하루가 정화를 기다렸다. 기온도 날씨도 그리고 사람도.

이 가까운 곳을 남편과 단둘이 와보기는 처음이다. 정화의 손에는 준비한 도시락이 들려있었고, 남편 손에는 돗자리와 부대 물품이 한 짐이었다.

둘레 길을 따라 10분 정도 걷자 커다란 참나무가 있는 평평한 자리가 나왔다. 길 아래 호수가 보이고 선선한 바람과 그늘까지 있었다. 돗자리를 펴고 앉은 정화 얼굴에 저절로 미소가 지어졌다. 알 수 없는 웃음이 멈추지 않았다.

*

준비해 온 포도주를 남편이 한 잔 따라주었다. 달콤한 포도 향이 입 안 가득 머물렀다. 무릎을 세워 모으고 종이컵에 따른 포도주를 양손에 쥔 정화의 눈에 길 아래 일렁이는 호수가 보였다. 때마침 잔잔한 바람이 불어 정화의 머리칼을 넘겨주었다.

그 모습을 바라보던 남편이 포도주를 한 잔 더 따라주며 말했다.

"그동안 힘들었지? 미안해!"

"……."

"다른 재주는 없고 할 수 있는 게 이것뿐이네. 잠시 들어봐."

남편은 어색해하며 자신이 쓴 글을 읽어주었다.

「꽃」

당신은 꽃이요
바라만 봐도 기분 좋은 꽃
분갈이도 해 주고 물 부어주고
정성스레 가꿔야 건만
바라는 맘으로 바라만 보다
시간은 가고 꽃이 말랐다

귀한 꽃일수록 아끼지 말라
사랑하는 마음 아끼지 말라
어린 마음 자라 물 줄 때까지
기다리고 버티는 꽃은 없는데
시들기 전 눈물이라도 적셔 줄 것을
슬픔은 뒤늦게 시내를 이룬다

가만히 듣고 있던 정화는 샘솟듯 눈물이 났다. 남편의 미안한 마음과 진심이 그대로 녹아 있었다. 정화는 이 꿈에서 깨고 싶지 않았다. 오랫동안 머물고 싶었다.

*

행복이란 사소함이다. 무엇일까 고민하기보다, 사소함을 말하고, 사소함을 지켜주고, 사소함을 행동할 때 행복은 시작된다.

사실 꿈에 등장하는 남편은 정화의 남편이 아니다. 심리상담소장인 민수였다. 그녀 바람을 실현해 준 것이다. 다만 꿈속에서 정화가 인지할 때는 모습이 다르더라도 민수가 아닌 남편으로 인식하게 된다. 이점이 꿈의 왜곡 현상이며 현실과 꿈의 커다란 차이점이다. 결국 심리적 안정과 위안을 주기 위해 설계한 최면의 꿈이었다.

비록 현실은 아닐지라도 민수는 아이처럼 좋아하는 곽정화를 보며 마음이 가벼워졌다. 또 한 사람의 숙제를 끝냈다.

*

민수가 슈팅 되고, 잠시 혼자 남겨진 정화에게 누군가 다가왔다. 낯선 남자였다. 밀가루같이 흰 피부였다.

정화가 물었다.

"누구세요?"

"곽정화씨?"

"제 이름을 어떻게 아세요?"

"한참 기다렸는데."

"그게 무슨 말씀이세요. 혹시 저를 아세요?"

"알다마다요. 잘 알고 있죠."

점잖게 말하는 목소리지만 왠지 모를 차가움이 묻어났다.

"어떻게 아세요. 누구신데요?"

사내는 정화의 말에 대꾸도 없이 커다란 손으로 정화의 목을 살짝 거머쥐었다. 정화는 흠칫 놀라며 남자의 손을 밀쳐냈다.

"뭐 하시는 거예요?"

사내가 피식 웃었다.

정화는 겁이 났다. 큰일이 벌어질 것만 같았다. 아니나 다를까 사내는 정화의 귀에 속삭였다.

"행복한 날 죽으면 어떤 기분일까? 아마도 아드레날린이 많이 나올 거야. 죽는 줄도 모를 만큼 황홀하겠지. 안 그래?"

밑도 끝도 없이 알 수 없는 말을 하더니 사내는 정화의 목을 세게 졸랐다.

"말하지 않아도 돼. 당신 말을 듣고 싶은 게 아니야. 당신이 내 말을 들을 수만 있으면 돼. 당신이 죽어야 하는 이유에 대해서 말이야."

사내는 눈 한번 껌벅이지 않았다.

"아니지. 당신같이 더러운 년을 죽이는데 내 손을 쓸 수 없지. 스스로 죽으면 어떨까. 속죄하듯 말이야. 그래야 당신이 죽는 모습을 내가 감상할 수 있지 않겠어?"

말이 끝나기 무섭게 사내는 미리 준비한 것처럼 정화의 몸을 나무에 꽁꽁 묶었다. 그런 후 양손을 빼내어 정화 자신이 목을 조르는 모양새를 만들더니 목과 손을 겹쳐 로프로 칭칭 감았다. 손을 뺄 수도 없었다. 밧줄의 탄력이 정화의 손을 점점 조였다.

마치 자기 손으로 자기 목을 조르는 모습처럼 보였다. 불덩이를 삼킨 듯 가슴이 타들어 가는 것처럼 뜨겁고 답답했다. 이윽고 사내가 말했다.

"당신은 가족을 배신했어. 아니라고 할 수 없겠지? 내가 속죄할 기회를 주는 거야. 남편과 아이에게 더 추한 꼴 보이기 전에 말이지."

*

그것은 오해였다. 항변하고 싶었지만 목소리는커녕 숨쉬기조차 힘들었다.

사내는 계속해서 정화를 비난했지만, 그의 말이 들리지 않았다. 이마에 땀방울이 송골송골 맺혔다. 한 호흡 하면 두 호흡 할 수 없을 정도로 밧줄에 감긴 손이 목을 조였다. 정화의 움직임이 점점 둔해졌다. 죽음에 다다르는 잔인한 시간이었다.

사내는 거칠게 헐떡이는 정화를 지켜보았다. 고통스러워할수록 입가에 미소를 띠었다. 죽음을 감상하고 있는 것이다. 그렇게 얼마나 지났을까? 정화에게선 더 이상의 몸짓을 볼 수 없었다.

곽정화는 꿈속에서 죽음을 맞았다. 그런데 현실에서도 죽음을 맞았다. 수면 중 자신이 자기 목을 조르는 모습으로 사망했다.

「선영의 꿈」

이선영은 학비를 벌기 위해 1년간 휴학했다. 일을 한다고는 하지만 어지간한 일이 아니고서는 학비 모으기가 쉽지 않았다.

선영은 대형할인점에서 판촉 도우미 아르바이트를 했다. 하루 8시간 이상 서서 상품을 설명해야 하는 고된 일이지만 일당은 제법 쏠쏠했다. 하지만 일거리가 불규칙했다. 날마다 있는 것도 아니었고 길어야 3~4일짜리였다. 공백이 있는 날짜에 맞추어서 또 하나의 아르바이트거리를 찾았다. 오픈 행사 도우미였다. 똑똑하고 외모도 빠지지 않았기에 인기가 있었다.

어느 날 이벤트 회사에서 다른 아르바이트를 제안했다. 저녁에 4시간 정도만 일하면 월 수백만 원을 벌 수 있다고 말했다. 고수익이며 낮에는 자신이 원하는 것을 할 수 있다고 유혹했다. 바로 텐프로(ten pro)였다. 상상도 해보지 않았던 일이었고 할 마음도 없었다.

그러나 현실적으로 단시간에 큰돈을 벌 기회는 많지 않았다. 처음에는 거절하고 다른 일자리를 찾아봤지만, 보수가 마땅치 않았다. 시간이 지나도 수익은 많이 늘어나지 않았기에 고민 끝에 선영은 결심했다. 눈 한번 딱 감고 말하지 않으면 별 탈이 없을 거라 여겼다. '짧게 몇 개월만 하면 되겠지'라고 생각했다. 그것이 실수였다.

*

텐프로(ten pro) 생활은 예삿일이 아니었다. 막상 일을 시작하고 나니 상황은 급격히 달라졌다. 날마다 속이 아프도록 술을 마셔야 했고 강제로 성매매까지 강요당했다. 그런데 자신의 의지로 그만둘 수도 없었다. 더구나 의상비며 수수료 명목으로 업소에서는 돈까지 갈취했다. 모든 것이 이야기한 것과 너무 달랐다. 참다못한 선영이 그만두겠다고 말하자 이번에는 협박했다. 학교며 친구며 집에까지 알리겠다고 으름장을 놓았다. 또 몸이 아파 쉬는 날이면 손해가 발생했다며 오히려 돈을 요구했다. 말도 안 되는 셈법이지만 그렇게 빚이 생겼다. 그만두고 싶어도 빚을 갚아야 그만둘 수 있었다.

그사이 복학도 해야 했다. 이렇게 살 수는 없었다. 고민을 거듭한 끝에 용기 내어 경찰에 도움을 청했다. 일은 그렇게 마무리되는 듯했지만 선영에게 남은 것은 트라우마였다. 선영은 주변에 소문이 날까 봐 두려웠다. 사람들을 마주하는 게 겁났다. 그쯤 찾아간 곳이 심리상담소였다.

처음 가본 곳이었지만 마음이 편했다. 심리상담소에서 꿈 치료법을 해보자고 제안했다. 안정감을 찾는 데 도움이 된다고 했다.

상담소를 다녀온 후 잠들기 전 문자메시지가 도착했다.

*

그날 밤 꿈을 꾸었다. 행복한 꿈이었다. 키다리 아저씨를 만나는 동화 같은 꿈이다.

선영의 꿈은 스튜어디스이다. 전 세계를 다니며 다양한 문화를 접해보고 싶었다. 자신에게 자유로운 삶을 선물하고 싶었고, 능력 있는 여성으로서 임원이 되는 포부도 있었다. 그러기 위해서는 많은 것을 준비해야 했고 뒷받침도 있어야 했다.

선영의 형편에서는 손에 닿기 힘든 거리에 있는 것이 분명했다. 그러나 현실에서 꿈같던 일도 잠이 들면 가능했다. 선영에게 꿈은 위안이고 희망을 잃지 않게 하는 동기부여가 되었다.

상담소를 다녀온 날은 어김없이 그런 꿈을 꿨다. 비록 꿈이지만 선영이 현실을 이겨내는 데 큰 힘이 되었다.

며칠 후 자정 무렵 심리상담소에서 또다시 메시지가 왔다. 기분 좋은 꿈과 만날 시간이었다.

'몽현동 300번지'

문을 열고 들어서자, 이번에 마주한 상황은 그 전과는 조금 달랐다. 최고급 차량과 한 사내가 기다리고 있었다.

"이선영씨 되시죠?"

선영이 알지 못하는 사람이었다.

"선영씨를 도와주기로 했던 사람입니다. 잘 생각해 보세요."

선영은 그가 누구인지 그제야 짐작되었다. 키다리 아저씨.

선영이 차를 타고 도착한 곳은 호텔의 앞이었고 회전문을 통과하자 은은한 조명 아래 고급술이 놓여 있는 실내로 바뀌었다. 순간 가슴이 철렁했다.

사내는 선영을 자리에 앉히며 다짜고짜 술을 권했다.

"마셔. 이게 당신 일 아냐?"

이를 거부하자 눈에 금세 광기가 서렸다.

"지금까지 삶은 어땠어? 구질구질하고 지긋지긋하지? 이 술을 마셔봐 내가 이 지옥 같은 곳에서 해방시켜줄 테니."

사내는 점점 무섭게 말하며 끊임없이 술을 권했다. 선영이 마시기를 거부하자 드디어 본색을 드러냈다.

"좋은 말로 할 때 들어! 네 깐 것이 뭐라고 버텨?"

사내는 강제로 선영의 입을 벌려 양주를 들이부었다. 혀가 오그라들 만큼 독한 술이었다.

선영은 몸을 부들부들 떨며 사정했다.

"왜 그러세요? 제가 뭘 잘못했나요? 이러지 마세요!"

사내는 태연히 말했다.

“뭘 잘 못했는지 모르겠다고? 그럼 내가 말해줘!”

“도대체 뭐 때문에 그러는데요?”

“너는 돈에 눈이 멀어 이 남자 저 남자와 놀아났지?”

“그게 무슨 말씀이세요?”

“더럽고 추한 짓을 하면서 고상한 척, 순진한 척, 착한 척하며 내숭을 떨지. 너 같은 건 죽어야 해. 그렇지 않으면 아무 일 없듯이 고결한 사람처럼 행동하며 다른 이와 결혼도 하겠지. 아냐?”

말하면 할수록 사내의 표정은 일그러졌다.

“얼굴값을 해야지. 반반한 얼굴을 가지고 천박하게 살지 말았어야 해. 이제 대가를 치러야 할 시간이야. 자신이 가진 것을 함부로 사용한 대가.”

사내는 온갖 모욕적인 말을 하면서 선영의 말은 들으려 하지 않았다. 그러더니 선영의 몸에 술을 흠뻑 쏟아 붓고는 불을 붙였다. 허벅지와 장딴지가 불에 타들어 갔다. 선영은 비명과 함께 제 살을 때려가며 불을 꺼 댔다.

“하하하”

“고통스러워? 아직 시작도 안 했는데…. 팔과 다리는 불편 할 뿐 사람들이 당신 몸을 사는데 크게 개의치 않거든. 하지만 얼굴은 다르지. 일그러지고 혐오스럽게 변한다면 아마 이런 일을 할 생각은 하지도 않을 걸. 그러니깐 네 얼굴이 문제야."

이번에는 선영의 얼굴에 한 방울도 남김없이 술을 쏟았다. 그리고는 다시 불을 붙였다.

*

인간의 잔인함은 동물의 잔인함과 다르다. 동물은 재미로 상대를 죽이거나 잡아먹지 않는다. 그러나 인간은 실수·착각·오해라는 말로 포장하여 사람을 죽이며 치욕스럽고 고통스럽게 한다. 살인을 저질러 놓고 '제정신이 아니었다. 심신미약이다.'하며 자기 정당화를 한다. 가장 추악하고 비겁한 수법이다.

*

불에 데 피부가 벗겨진 선영의 얼굴에 사내는 거울을 비추었다.

"어때? 지금부터 이 모습이 네 얼굴이야. 자세히 보라고. 더 이상 남자들이 관심 두지 않을 테니까. 이 얼굴로 살아보라고 이제까지와는 전혀 다른 삶일 거야."

거울에 비친 얼굴은 불에 익어 붉은 살이 드러난 끔찍한 모습이었다. 선영은 이것이 꿈인지 생시인지 더 이상 구분되지 않았다. 몸이 타들어 가는 고통. 무시무시한 폭력. 현실에서 겪었던 끔찍했던 공포가 꿈에서 다시 재현되었다. 순간 이것이 실제라고 느낀 듯 선영은 술병을 깨어 스스로 목을 찔렀다.

이선영은 꿈속에서 이렇게 삶을 끝냈다. 현실에서 선영은 화상 자국 하나 없이 잠자는 듯 사망했다. 사인은 심장마비였다.

선영이 바랐던 키다리 아저씨는 역시 동화 속에만 존재하는 사람이었다. 현실에서든 꿈에서든 그들은 추악했다.

제16장
조력자

박 형사 수첩에는 메시지, 꿈, 아드레날린 그리고 심장마비라고 적혀있었다. 관련을 지어보려 했지만, 결정적 고리가 빠진 느낌이었다. 혼자만의 생각으로는 좀처럼 풀리지 않았다. 국립과학수사연구소 유 박사에게 도움을 청했다.

"박사님? 박 형사입니다. 뭐라도 다른 게 나왔나 싶어서 전화했습니다."

박 형사는 선생님을 찾는 학생 같았다.

"무언가 있는 거 같은데 도무지 모르겠습니다."

"범죄분석가(profile)에게 도움을 청해보는 건 어떤가?"

"아직 공론화하기에는 이릅니다. 프로파일러가 참여하게 되면 일이 알려지고 추측만 두고 수사한다고 논란만 커질 겁니다. 일단은 우리 팀에서 조금 더 수사해 보고 싶어서요."

"그러면 어쩔 수 없지."

"아무래도 제 생각에는 연쇄살인 같습니다."

"연쇄살인? 어째서?"

유 박사도 여러 생각을 하고 있던 참이었다.

"부검 기록과 공통된 메시지. 주변인 증언을 볼 때 패턴이 유사합니다. 동일범일 가능성이 높습니다."

"심증 가는 사람은 있고?"

"예, 심리상담소를 운영하는 사람인데……. 좀처럼 허점이 보이지 않습니다."

"심리상담소라고? 음…."

유 박사는 무언가 찜찜한 구석이 있는지 한참을 생각했다.

"박 형사. 이러면 어떤가?"

"어떤 건데요?"

"사람 한 명 소개해 줄 테니 한번 만나보게."

"누군데요?"

"심리학 교수인데. 세미나에서 만난 젊은 친구야. 꽤 유능하더군. 연락해 놓을 테니 찾아가 봐."

"고맙습니다. 내일이라도 가보겠습니다."

*

전문가란 한 분야에 정통한 지식과 경험을 갖춘 사람이다. 그러나 그들은 간혹 자기 함정에 빠져 일을 그르치기도 한다. 자기 시야에서만 문제를 보고 풀려다 보니 주변의 변화와 변수를 미처 인지하지 못하는 경우가 생기는 것이다. 이는 전문가들의 공통된 특징이기도 하다. 그래서 필요한 것이 팀이다. 복잡하고 어려운 문제일수록 '태스크포스(task force)' 팀이 필요하다. 다양한 분야의 사람들이 참여하여 새로운 관점에서 바라볼 수 있어야 한다. 지금은 유연한 사고가 필요한 때였다. 박 형사에게는 다른 시각에서 바라보고 도와 줄 조력자가 절실했다.

다음 날 박 형사는 유 박사가 소개한 심리학 교수를 만나러 갔다.

"실례지만 김태련 교수님을 뵈러 왔습니다."

조교는 박 형사를 연구실로 안내해 주었다. 문을 열고 들어서자, 창밖을 내다보고 있는 여인이 있었다. 뒷모습만으로도 젊어 보였다. 검은색 단발머리에 살구색 치마 정장이었다. 곧게 선 허리와 늘씬한 키. 여성이지만 다부져 보였다. 다만 진한 향수 냄새 때문에 머리가 지끈 아파져 왔다.

김태련 교수는 박 형사를 반갑게 맞아주었다.

"어서 오세요. 유 박사님한테 이야기 들었습니다."

목소리는 다소 굵고 허스키했다. 유난히 흰 피부색과 절제된 미소는 정숙해 보였고 반짝이는 눈동자는 총명함이 느껴졌다. 젊은 나이에 교수가 되었을 정도면 실력이 보통은 아닐 것이다.

*

사실 김태련 교수는 한국인이지만 한국인이 아니다. 외국 국적의 소유자다. 캐나다에서 공부하고 박사학위까지 받은 사람이었다. 특히 그가 쓴 논문과 책은 학계에서 회자될 만큼 사람에 대한 분석과 통찰이 예리했다. 얼마 전 집필한 '프로이트의 역설'이란 책에서는 프로이트가 주장한 꿈에 대한 무의식을 새롭게 정의하기도 했다. 그는 꿈은 무의식이 아니라 의식의 분열이고 꿈에서도 여러 자아가 존재하고 대립한다고 했다. 그의 주장은 기존 학계에 던지는 새로운 아젠다(Agenda)였고 그로인해 국내 대학에 초빙교수로 와 있었다.

*

"어떤 것을 도와드리면 될까요? 제 분야면 좋겠습니다."

김태련 교수는 사족 없이 깔끔하게 말했다.

박 형사 역시 단도직입적으로 물었다.

"사람이 꿈꾸다가도 사망할 수 있나요?"

"그럴 수 있습니다."

그녀의 대답은 간결하고 명료했다.

"뇌가 어떤 결정을 내리냐에 따라 심박수부터 변화가 일어나니까요. 신체는 뇌에서 관장하는데 꿈도 뇌에서 관장하거든요. 뇌란 똑똑해 보이지만 현실과 상상을 구분하지 못하는 단점이 있습니다. 그래서 생각만으로도 신체기능을 제어할 수 있죠."

"꿈은 무의식인데 결정을 내린다는 것은 의식 행동 아닌가요? 그렇다면 무의식인 꿈도 결정을 내릴 수 있다는 말씀인가요?"

박 형사는 자신이 무식한 사람이 아니라고 반문하듯 질문했다.

김 교수는 빙그레 웃으며 박 형사를 바라보았다.

"좋은 질문이네요. 맞습니다. 꿈은 무의식이죠. 그런데 의식하여 이루어지는 결정이아니라 반사적으로 몸에서 먼저 일어나는 기계적 반응의 결정이죠. 조금 더 자세히 말하면 무의식은 두 가지로 나뉩니다. 의식의 반복을 통해 특정 조건이 생기면 무의식적 반응이 일어나도록 만드는 습관과 인간이 태어날 때부터 내재한 본능적 무의식이죠. 예를 들어 성욕이나 식욕. 생명 위협은 의식하기 전에 몸에서 먼저 반응하지요. 본능적 욕구의 무의식입니다. 따라서 잠을 자는 동안 어떤 무의식이 작용하는가에 따라 기계적으로 결정된 반응이 나타나고 결과는 달라집니다."

"그런데 중요한 것은 학습된 무의식보다 본능적 무의식입니다. 본능적 무의식은 그것을 조정하는 이드(id)라는 자아가 있습니다. 이드(id)는 의식적 자아보다 힘이 세죠. 꿈과 같은 무의식 세계에서 이드(id)가 해방되면 현실에서 조차 신체적 통제가 불가능합니다. 예를 들면 몽유병 같은 것이죠. 하지만 무의식의 이드(id)와 에고(ego) 사이에는 보이지 않는 경계가 있어 보입니다. 그래서 뇌 질환이나 특수한 경우가 아니면 서로 의식의 경계를 넘지 않는 것으로 알고 있습니다."

"특수한 경우라면 정신이상증세 같은 것을 말하는 건가요?"

"네, 아주 비슷한 경우죠."

다소 복잡한 설명이었지만 박 형사는 단순화하여 이해하기로 했다. 그리고는 갑자기 무슨 궁금증이 일었는지 뜬금없는 질문을 했다.

"이상하게 들릴 수도 있겠지만, 혹시 꿈을 다른 사람이 꾸게 할 수도 있습니까?"

김태련 교수는 박 형사가 무엇을 알고 싶어 하는지 간파했다.

"무슨 일이 있었나요?"

김 교수가 오히려 되물었다. 잠시 망설이던 박 형사는 믿던, 믿지 않던 간에 차라리 솔직히 말하고 도움을 청하기로 했다.

"희한한 사건을 좀 맡았습니다. 피해자들은 누군가를 만나고 와서 꿈을 꿨다고 합니다. 꿈이란 것도 의도해서 꾸게 할 수 있나 해서요?"

김 교수는 박 형사 얼굴을 유심히 보며 말했다,

"누군가를 만났다고 했나요? 다른 것은 없고요?"

"다른 것이요?"

박 형사가 갸우뚱하며 수첩을 꺼내 보였다.

"피해자들 휴대전화기에 이런 메시지가 있었습니다. 몽현동 300번지. 232번째 키다리 아저씨 우체국 앞 12시, 몽현동 300번지. 233번째 화성대 공원 오전 9시, 몽현동 300번지. 235번째 하데스 카페 12시 정오, 만나기로 한 약속 같은데 지금 파악 중입니다."

김 교수는 수첩에 적힌 글자들을 꼼꼼히 읽었다. 다른 쪽까지 넘기며 살펴보았다. 그러자 박 형사는 재빨리 수첩을 덮으며 멋

찍은 미소를 지었다.

김태련 교수가 약간 민망해했다.

"형사님? 피해자들이 방문한 곳이 어딘지 아세요?"

"심리상담소였습니다."

심리상담소였다는 말에 김 교수는 뭔가 확신하는 듯했다.

"조금 전 보여주신 메시지들은 최면암호 같습니다. 누군가에게 최면을 걸 때 사용하는 암시 문구죠."

"최면이요?"

박 형사는 뜻밖의 답변에 놀랐다.

"최면을 걸어 꿈꾸게 했다는 말씀인가요? 그게 가능합니까?"

김태련 교수는 차근차근 설명했다.

"많은 사람이 최면에 관심을 두고 있지만 정확히 무엇인가는 잘 모르고 있습니다. 어떤 사람들은 속임수라고 여기기도 합니다. 하지만 최면은 뇌 과학에 가깝습니다. 한마디로 말해서 우리 뇌가 가진 기능을 활용하여 무의식적으로 스며든 다양한 정보와 능력을 제어하는 기술이죠."

김 교수가 계속해서 말했다.

"우리 일상의 95퍼센트는 무의식적으로 일어납니다. 최면은 무의식 세계를 제어하는 방법이고요. 따라서 무의식의 속성을 제대로 알고 있으면 정신건강이나 질병 치료에도 상당한 효과를 거둘 수 있습니다. 특히 트라우마 치료에 도움이 많이 되지요."

"조금 더 구체적으로 말씀해 주세요."

박 형사는 작은 것이라도 놓치고 싶지 않았다.

"형사님께서 궁금해하는 꿈도 최면을 통해 설계할 수 있습니다. 그 정도 최면을 할 수 있는 사람이라면 최고의 전문가겠지만요. 그러나 꿈이 설계한 대로 실현되는 것은 또 다른 문제입니다. 예상한 대로 결과를 얻는 것은 말처럼 쉽지 않습니다. 그러니 꿈을 통해 살인을 계획하고 일어나도록 했다는 건 불가능합니다. 만약 어떤 확실한 목표를 정해놓고 최면을 통해 결과를 얻으려면 꿈속 무의식을 완전히 통제할 수 있어야 합니다. 그런데 현실에서 무의식의 꿈을 완벽하게 제어하기란 불가능하죠. 왜냐하면 몇 가지 결정적 제약이 있기 때문입니다."

그녀는 쉬지 않고 설명했다.

"우선 최면술사가 최면을 통해 잠들어 있는 사람 옆에 머물러 있어야 합니다. 계속해서 암시를 주어야 하기 때문이죠. 이것은 다른 외부적 개입이 전혀 없어야 가능합니다. 시간이 무척 오래 걸리는 일이기도 하고요. 다른 제약은 무의식은 완벽한 상태가 아니라 불안정한 상태라는 것입니다. 무의식 세계란 의식의 제약에서 벗어난 상태입니다. 그래서 예상치 못한 다양한 변수가 발생할 수 있습니다. 아무리 꿈을 완벽하게 설계하고 잠들게 했더라도 스토리를 변수 없이 진행한다는 것은 어렵습니다. 설령 그렇게 된 꿈을 꾸었다면 무의식이 아니라 의식해 있는 꿈이겠죠. 달리 말해서 의식했다는 것은 각성한 상태고 무의식이 아니란 얘깁니다. 결국 잠들지 않았다는 의미이고 꿈을 꿀 수 없다는 말이 되겠죠. 한마디로 모순입니다."

*

박 형사는 들을수록 복잡했다. 최면, 잠, 꿈 과정이 단순하지 않았다. 김 교수 말대로라면 최면을 통해 다른 사람을 잠들게 하거나 꿈을 꾸게 할 수는 있다. 다만 무의식은 제약이 없는 상태이기 때문에 변수에 대한 완벽한 통제가 불가능하다는 말이다. 따라서 최면을 통해 꿈을 암시했다 하더라도 설계된 이야기대로 온전히 수행되기는 어렵고 그렇게 진행됐는지 또한 확인이 어렵다. 더욱이 잠든 사람을 설계한 스토리대로 진행하려면 최면술사가 계속하여 옆에서 이야기를 해가며 지켜보고 있어야 한다. 따라서 최면술로 살인했다면 누군가 함께 있던 흔적이 있어야 하는데 피해 현장에서는 그러한 흔적이 발견되지 않았다.

박 형사는 지금까지의 대화를 나름 정리해 보았다. 그리고 이번에는 다른 방향에서 생각해 보았다.

"교수님, 최면술사가 피 최면자에게 꿈을 암시했다면 피 최면자는 일차적으로 그 상황을 접하기는 합니까?"

박 형사의 질문에 김태련 교수는 숨을 고르며 이야기했다.

"연구 결과를 보면 그럴 가능성이 높습니다. 그렇지만 꿈 전체로 보면 의도한 대로 결과가 꼭 나오지는 않습니다. 조금 전에 말씀드렸던 변수 때문이죠. 그러나 적어도 꿈에서 처음 접하는 상황은 암시한 곳에 도달하는 것으로 알고 있습니다."

박 형사는 연속해서 질문했다.

"이런 설정은 가능한가요?"

"어떤 것을 말씀하시는데요?"

"최면술사가 피 최면자의 꿈에 직접 투영된다든지, 피 최면자의 꿈속에 들어가는 것도 가능할까요?"

김태련 교수는 소파에 등을 펴듯 기대었다. 잠깐 천장을 응시하더니 조심스럽게 대답했다.

"드림슬립(dream slip)을 말씀하시는 것 같네요."

"드림슬립(dream slip)이요? 그게 뭐죠?"

"방금 형사님께서 물어보신 타인의 꿈에 접속하는 것을 의미합니다. 잠든 상태에서 다른 사람의 꿈속에 들어가는 의식 이동을 '드림슬립(dream slip)'이라고 하죠. 이론상으로는 가능합니다. 그러나 까다로운 조건을 맞춰야 하기에 성공한 사례는 아직 보고되지 않았습니다."

김 교수는 드림슬립이 어떤 것인지 박 형사에게 들려줬다.

"드림슬립이 가능하기 위해서 제일 먼저 서로의 정신세계를 연결해 줄 수 있는 매개체가 필요합니다. 다시 말해서 꿈과 꿈을 연결해 주고 꿈속 공간을 제공해 줄 수 있는 사람 '채널러(Chan neler)'가 있어야 합니다."

*

"채널러(Channelers)는 자연 수면 상태에서 장시간 깨지 않고 잠을 잘 수 있는 사람이어야 합니다. 그래야만 무의식 세계가 안정적으로 유지될 수 있습니다."

"건강도 탁월해야 합니다. 자신의 무의식 세계를 무방비 상태로 개방하기 때문에 꿈속에서 벌어지는 일들에 대한 스트레스를 고스란히 받게 됩니다. 간혹 드림슬립 중 '채널러'가 과도한 스트레스를 받아 심장마비까지도 일으킵니다. 이 경우 자칫 잘못되면 드림슬립했던 사람이 채널러의 꿈속에 갇혀버리죠. 현실에서는 일시적 혼수상태가 되는 겁니다."

"이외에도 슈팅(shooting) 현상이 있습니다. 채널러가 갑자기 꿈에서 깨어나는 일이죠. 이때는 드림슬립 시도자도 함께 깨어납니다. 즉, 의식이 깨는 튕김 현상인데 이것을 슈팅(shooting)이라고 부릅니다. 채널러의 무의식이 위험을 느껴 방어기제가 작동하는 겁니다. 그러면 한꺼번에 모든 상황이 종료되는 것이죠."

"조금 더 말씀드리면 방어기제는 채널러가 꿈속에서 위협을 느낄 때 일으키는 무의식적 반응입니다. 그런데 이것이 작동하면 우리의 의식이 착각을 일으킵니다. 그래서 슈팅 후 드림슬립 시도자는 순간적으로 혼란을 겪게 됩니다. 꿈과 현실을 혼동하는 것이죠. 이럴 때 꿈속 상황을 현실에서 진행하려는 경향으로 인해 심각한 위험이 발생하기도 합니다. 학계에서는 이러한 부작용 때문에 연구를 금지시켰습니다."

*

박 형사는 처음 듣는 이야기였다. 자신이 알고 있던 상식과는 너무도 다른 내용이었다. 호기심을 자극했지만, 결과적으로 최면을 통한 꿈 접속은 실현 가능성이 작아보였다.

*

김태련 교수와의 만남을 통해 박 형사는 궁금증이 어느 정도 풀렸다. 적어도 가능과 불가능 그리고 좀처럼 연결되지 않았던 부분에 대하여 한 가지는 밝혀냈다.

박 형사가 수첩을 꺼냈다. '메시지, 잠, 꿈, 아드레날린 그리고 심장마비'라고 쓰인 단어들 맨 앞에 '최면'이라는 단어를 써넣었다. 비로소 하나의 퍼즐이 완성됐다. '최면, 메시지, 잠, 꿈, 드림슬립, 아드레날린, 심장마비' 일련의 단어들은 한 사람을 가리켰다.

박 형사가 할 일이 무엇인지 확실해졌다. 긴 시간을 아낌없이 내어준 김태련 교수에게 감사했다. 박 형사는 종종 조언을 구하겠다고 양해를 얻었다.

*

학교를 나서는 박 형사의 뒷모습을 김태련 교수는 멀리서 바라봤다. 박 형사 역시 김태련 교수가 있는 연구실 쪽을 물끄러미 바라보았다. 그런데 김태련 교수는 어떻게 알았을까? 살인 사건이 발생했다고 말하지 않았는데….

아직 체기가 남은 기분이었다.

제17장

채널러(Channelers)

민수에게는 유일한 친구가 있다. 이선우이다. 선우는 좋은 집안과 부모. 그리고 바른 성품까지 지녔다. 민수가 온전했을 때도 흉측하게 변해버린 지금도 여전히 곁에 남아있는 좋은 친구다.

선우도 살면서 친구라고는 민수뿐이다. 선우는 많은 것을 가지고 태어났지만, 불행한 삶을 살고 있다. 병을 앓고 있는데 '클라인 레빈 증후군'이다. 이 병을 앓고 있는 사람은 정상적인 생활이 불가능하다. 학교를 다닐 수도, 직장을 다닐 수도 없다.

의식이 깨어있는 날보다 잠을 자는 날이 더 많다. 언제 잠에서 깨어날지 언제 다시 잠들지 알 수가 없다. 갑자기 찾아오는 수면증은 자신의 의지와는 상관없이 일어난다. 오직 신만이 알 수 있을 뿐 선우도 의사도 누구도 알지 못했다. 어쩌면 선우의 병은 신의 조작처럼 보인다.

*

선우에게는 꿈과 현실이 모호하다. 그에게 현실은 일반인이 생각하는 현실이 아니다. 깨어있는 시간보다 잠자고 있는 시간이 많다 보니 꿈이 현실이고 현실이 오히려 꿈같다. 꿈과 현실을 바꾸어 살고 있는 셈이다. 그래서 현실에서 선우의 삶은 지독히 외롭고 불안하다.

민수는 순영과의 드림슬립 중 슈팅 된 일로 선우에게 전화했다. 지체할 시간이 없었다. 다른 사람은 몰라도 선우는 알고 있을 것이다.

전화기 반대편에서 탁 가려진 목소리가 들렸다.

“선우야. 네가 깨어난 것 같아서 전화했어.”

“방금 나도 전화하려는 참이었는데.”

선우도 무엇을 느낀 듯했다.

“몸은 어때? 괜찮은 거니?”

민수는 선우의 안부를 물었다.

“이번에는 조금 길게 잠들었던 것 같은데 이 정도는 괜찮아.”

선우는 나흘 만에 잠에서 깨어났다. 더 심한 적도 있었지만, 다행인 것은 수면 시간이 점점 짧아지고 있다는 점이다.

“두통은 어때?”

선우는 오히려 민수의 건강이 걱정되었다.

“아직은 버틸만해.”

“더는 하지 말자. 이러다가 정말 큰일 나. 민수야?”

선우의 염려는 컸다.

민수와 선우 사이에는 비밀이 있다. 선우는 드림슬립을 제공하는 매개체 채널러(Channelers)이다. 생(生)의 대부분을 긴 잠 속에서 살아간다. 그런 사정을 알고 있는 민수는 학창시절부터 드림슬립에 관심을 두고 있었다.

민수가 드림슬립 방법을 찾아낸 것은 1년 전이다. 순영을 떠나 병원을 나왔지만 오갈 데가 없었다. 의지할 곳은 오직 선우뿐이었다. 그때부터 함께하며 드림슬립에 관하여 본격적인 연구를 했다. 그렇게 3년의 시행착오 끝에 비로소 알아냈지만, 아직은 불완전한 상태였다.

*

드림슬립을 먼저 제안한 것은 선우였다. 민수는 검증된 것이 없기에 위험부담 때문에 만류했지만, 선우는 살아있는 것도 죽은 것도 아닌 인생이라며 지독한 고독에서 숨 트이고 싶다며 민수에게 간청했다. 그렇지만 두 사람의 신뢰가 확고하지 않았다면 성공은 불가능했을 것이다. 더욱이 드림슬립은 채널러의 목숨을 담보로 하는 위험한 시도였다.

그들의 드림슬립 시스템은 상호 최면에서 시작된다. 민수는 선우에게 최면을 걸어 꿈속 세계를 설정한다. 꿈에서 선우는 자신만의 공간도 있고 직업도 있다. '몽현동 300번지'는 꿈속에서 선우가 머무는 곳으로 현실에서 꿈으로 들어가는 출입문 역할을 한다. 이곳에서 선우는 드림 룸이라는 꿈의 방을 관리한다.

선우 역시 민수가 알려준 대로 자신의 무의식에 접속할 수 있도록 드림슬립 암호를 민수에게 최면한다. '몽현동 300번지. 250번째.' 뒤에 붙여지는 숫자가 그것이다. 숫자는 민수가 선우의 꿈에 접속하는 횟수인 동시에 꿈의 방 번호다. 이 숫자는 단순하지 않다. 모든 숫자는 연속적으로 이어져야 하고 한번 제공된 숫자는 단 1회밖에 사용할 수 없으며 지난 꿈을 재생할 수도 없고 사용된 방은 폐쇄된다.

이러한 꿈 접속에서 가장 중요한 것은 채널러가 받는 스트레스를 얼마나 감소시키느냐는 것이다. 드림슬립 시 과도한 스트레스는 치명적이다. 그래서 무엇보다 시간 설정이 중요하다. 인위적인 드림슬립 자들이 채널러의 꿈에 오래 머물지 않는 이유도 이 때문이다. 시간 제약을 두고 슈팅 할 수 있다면 뇌와 심장의 과부하를 막을 수 있다. 민수는 선우의 꿈속에 최대 3시간 이상 머물지 않는다.

그런데 얼마 전부터 민수에게 문제가 발생했다. 꿈 접속이 거듭될수록 민수의 머릿속에 종양이 자라고 있었다.

정신세계 연결에서 채널러도 위험하지만, 실제는 드림슬립을 하는 안내자도 위험하다. 채널러의 무의식에 접속할 때는 현실의 기억을 유지하며 입장한다. 이 과정에서 해마는 극심한 스트레스를 받게 된다. 그로 인해 기억을 관장하는 부분에 종양이 발생하는 것이다. 결국 민수의 두통과 종양은 드림슬립에 의한 부작용이었다. 드림슬립이 거듭될수록 민수의 종양은 한계에 다다랐다. 최근 민수의 기억이 온전하지 않은 것을 통해 선우는 눈치채고 있었다.

*

선우가 민수에게 새로운 사실을 말했다.

"요즘 누군가 내 꿈에 침입하는 것 같아?"

민수는 깜짝 놀랐다. 드림슬립은 둘만 알고 있는 비밀이다. 간혹 트라우마 치료를 위해 상담자들을 드림슬립 시키기는 하였지만 엄격하게 부여 된 코드나 선우의 승낙 없이 꿈에 접속하는 것은 불가능 한 일이다. 만약 그런 일이 발생했다면 선우의 생명도 위험하다.

"무슨 일이 있었는데?"

민수가 다급히 물었다.

"꿈속이 순식간에 레볼루션(revolution)해."

"레볼루션? 공간이 360도 회전한다고?"

"맞아. 누군가 허락 없이 무의식 경계를 넘은 거야!"

"그게 누구인데? 얼굴은 보았어?"

"아니, 전혀 모르겠어. 더 끔찍한 것은 살인이야!"

"살인?"

"응, 레볼루션이 있고부터 꿈을 꾸던 사람들이 죽고 있어. 문제가 생긴 것 같아."

"언제부터 그런 거야?"

민수가 초조해하며 다시 물었다.

"레볼루션은 가끔 있었는데 그동안은 아무 일도 없었어."

"누구의 꿈인지 너는 알 거 아냐?"

민수의 말에 선우는 작은 것이라도 기억해 내려 애썼다.

"사건이 벌어진 장소가 어딘데? 자기 공명했을 거 아냐?"

"사람들이 많은 광장에서 사람을 죽였어."

"그것이 마지막이야?"

"처음에 드림 룸에서 죽은 사람들은 자연사인줄 알았어. 그런데 자기 공명이 발현되고서 알게 된 거야. 살인이란 걸."

"또 다른 징후나 공명은 없어?"

"마지막으로 공명이 일어난 장소가 어렴풋이 기억나."

"그곳이 어디야?"

"늦은 밤 골목이었어. 어떤 여자를 놓고 두 사람이 싸우고 있었는데 갑작스럽게 깼어."

민수가 무언가 아는 듯 선우에게 단호하게 물었다.

"혹시 너! 오늘 드림슬립장소에 있었니?"

"내가? 가지 않았어. 갈수도 없고. 나는 이 쪽 세계 관리자야.

누구의 꿈에 개입하거나 진행되고 있는 꿈에 들어갈 수가 없어. 너도 알잖아?"

"일단 알았어! 우선 원인부터 찾아보자!"

*

선우는 자신의 의도와 관계없이 자기공명 현상을 경험했다. 누군가의 행동이 마치 자신이 하는 것처럼 동시에 느끼는 현상이다.

*

민수는 심각했다. 레볼루션에 자기공명까지 일어났다면 예삿일이 아니다. 분명히 침입자가 있는 것이다. 선우가 지금처럼 깨어있다면 모를까 잠든 다면 막을 수 없다. 외부 침입자가 있다면 유일한 방법은 최면 시스템을 다시 설정해야 한다.

민수는 선우가 잠들기 전 만나야 했다. 마음이 급했다.

제18장

고백

민수가 찾아갔을 때 선우는 또다시 잠들어 있었다. 당장 드림 슬립을 통해 다시 물어본다고 해도 소용없다. 선우는 이전 꿈을 기억하지 못할 것이다. 왜냐하면 채널러가 꿈에서 깨어나게 되면 이전 꿈의 기억은 모두 삭제되기 때문이다. 즉 컴퓨터처럼 꿈의 기억이 새로 부팅되는 원리다.

*

새벽이지만 민수는 어딘가로 급히 전화했다.

"저, 심리상담소장입니다. 괜찮으시면 만났으면 합니다."

"이번에도 거짓말을 하시는 줄 알았는데 연락을 줬네요. 어디서 뵐까요? 이곳으로 오시겠습니까? 아니면 제가 갈까요?"

비꼬는 말투였다. 박 형사였다.

"상담소에서 뵙지요. 기다리겠습니다."

민수는 박 형사를 만나기로 했다. 오해도 풀어야 했지만, 그보다 확인하고 싶은 것이 있었다.

날이 밝자 박 형사가 상담소로 찾아왔다. 의외로 침착한 모습이 사건의 가닥을 잡은 듯 보였다. 박 형사는 이번 만남에서 무언가를 결정하려는 마음이었다.

민수는 상담일지를 꺼냈다.

“지난번 궁금해하셨던 일에 대하여 말씀드리겠습니다.”

민수는 자신이 이번 사건과 관계가 없음을 분명히 말했다.

“재차 말씀드리지만, 저는 그분들 죽음과 관련이 없습니다. 단지 상담해 드렸을 뿐입니다. 곽정화님은 남편의 의처증으로 인해서 우울증까지 앓고 계셨습니다. 해드릴 수 있는 것은 심리적 위안을 찾게 도와주는 것이었습니다. 그래서 회상요법을 통해 마음이 편하도록 해드렸습니다.”

박 형사가 민수의 말에 질문했다.

“어떤 방법으로 회상시켰는데요?”

“잠시 후 말씀드리겠습니다.”

민수는 상담자들에 관한 이야기를 솔직하게 말했다. 이선영의 경우 텐프로 활동과 협박으로 인한 대인기피증이 있었고, 배정애의 경우 어린 시절 아버지로부터 받았던 학대와 성폭행으로 트라우마가 심했다고 말했다. 심하경은 연애 문제였는데 심각한 것은 아니었다고 전했다. 개인에 따라 제시해 주었던 솔루션(solution)도 설명했다.

박 형사는 민수의 이야기를 아무 말 없이 듣기만 했다. 그가 어떤 사람인지 이미 예상하고 있었다. 그의 말에서 허점만 찾으면 됐다.

민수가 박 형사에게 물었다.

"형사님께서 지난번 보여주신 문자메시지 말입니다. 제가 보낸 것이 맞습니다. 그런데 심하경님께는 보내지 않았습니다."

"무슨 말이에요? 당신 전화번호가 찍혀있는데?"

"오히려 제가 묻고 싶습니다. 다른 분들에게 보낸 것은 맞습니다. 하지만 심하경님께는 아닙니다. 저는 그날 두통이 심해서 진통제를 먹고 깜박 잠들었습니다."

박 형사는 의아한 듯 다시 물었다.

"도대체 그 문자는 뭡니까. 만날 곳이라고 하지 않았나요?"

민수는 어떻게 답변해야 할지 고민스러웠다. 일반인들이 상상조차 할 수 없는 일이었기 때문이다. 잠시 생각하던 민수는 사실을 고백했다.

"형사님이 듣기에 황당할 수 있지만, 지금부터 하는 말은 사실입니다. 저는 상담을 하면서 독특한 방법을 활용합니다. 필요에 따라 최면을 쓰고 있습니다. 대부분의 상담은 그 자리에서 끝나지만 트라우마나 우울증에는 회상요법을 시행합니다."

"혹시 드림슬립을 말하는 겁니까?"

"어떻게 그것을 알고 계시죠?"

박 형사의 말에 민수가 놀라는 눈치였다.

"짐작하고 있었습니다. 현실적으로 가능한지. 그것이 진실인지 거짓인지 아직도 의문이기는 합니다만."

민수는 박 형사가 이미 자신에 대하여 많은 것을 알고 있음을 깨달았다.

"어떻게 아셨는지 모르겠지만, 제가 그들을 죽이지 않은 것은 사실입니다. 보낸 메시지들은 2차 최면을 위한 겁니다. 상담소에서 1차 최면을 하고 잠들기 전 다시 암시를 주는 것이죠. 그런 후에 드림슬립을 통해서 저는 상담자들을 만났습니다. 심하경씨는 제외하고요. 심하경씨 경우 다음 날 메시지를 보내고 드림슬립을 하였지만 만나지 못했습니다. 드림슬립 시간이 서로 맞지 않았거나 하경씨가 수면을 취하지 않았을 수도 있으니까요."

민수의 말에 박 형사가 콕 집어 물었다.

"심하경씨 전날 사망했습니다. 당신은 메시지를 보내지 않았다고 했지만 사망한 날 보낸 당신 메시지가 있는데 그것은 어떻게 설명할 거요?"

"저는 정말 모르는 일입니다. 제 번호로 어떻게 문자 메시지가 보내졌는지 알지 못합니다."

"당신이 아니라면 누군가 당신 전화기로 보냈다는 겁니까?"

민수는 아무 말도 할 수 없었다. 문득 최근 자신의 기억이 온전치 못해서 아예 그 상황을 기억하지 못하는 것은 아닐지 하는 불안감이 엄습했다.

박 형사가 발신된 메시지 상황을 몇 번이고 집요하게 캐물었지만, 민수는 모른다는 말밖에 할 수 없었다.

민수가 화제를 돌려 박 형사에게 물었다.

"드림슬립에 대해서 어찌 아셨습니까?"

"아는 교수님에게서 들었습니다. 그분 말로는 성공 사례가 없다고 하던데 당신이 가능하다는 말인가요?"

"혹시 화성대학교 김태련 교수님을 알고 계신가요?"

이번에는 박 형사가 놀랐다.

"김 교수를 아세요?"

"물론입니다. 대학 시절 수업을 들었습니다. 꿈 이론에 대해서 해박하신 분입니다. 저 역시 많은 것을 배웠고요. 이곳 심리상담소도 교수님께서 알아봐 주신 겁니다."

"그래요?"

박 형사는 의외라는 표정이었다.

세상이 좁다. 김태련 교수와 민수가 사제지간(師弟之間)일 줄이야. 예상 밖의 인연이었다.

*

민수가 대학교 3학년 때 김태련 교수를 처음 만났다. 외국에서 공부하고 국내 대학으로 초빙되어 처음 수업을 맡을 때였다. 김 교수는 오랫동안 알고 지낸 사람처럼 민수에게 각별했다. 민수의 명석함을 알기에 자신의 연구에도 적극 참여시켰다. 대학원 진학을 권한 것도 김 교수였다.

하지만 사고로 인해 민수가 잠적했다가 얼마 전 김 교수를 찾아와 도움을 구했다. 민수의 모습을 보고 김 교수가 해 줄 수 있는 것은 많지 않았다. 그나마 다행인 것은 민수의 명석함은 그대로였다.

김 교수는 민수의 의견을 존중해 홀로 설 수 있도록 심리상담소 창업을 후원해 주었다. 자주 왕래하지는 않지만 민수는 김태련 교수에 대한 고마움을 잊지 않고 있었다.

*

민수가 더 깊은 이야기를 꺼냈다.

"형사님께서 저를 용의자로 의심하고 계신 것 알고 있습니다. 하지만 제 말을 믿으셔야 합니다. 드림슬립 원리를 아신다면 채널러에 대해서도 들으셨을 겁니다. 제가 알고 있는 채널러가 있습니다. 그런데 요즘 그의 꿈에 누군가 몰래 침입하고 있습니다. 상호최면과 암호를 모르면 불가능한데 말입니다. 더 끔찍한 일은 꿈속에서 살인사건이 벌어지고 있는데 아무래도 현재 사건과 연관성이 있어 보입니다."

박 형사의 눈이 동그래졌다. 믿어야 할지 말아야 할지 좀처럼 갈피를 잡을 수 없었다.

“왜 나한테 말하는데요? 나는 당신을 의심하고 있는데?”

“의심하기에 말씀드리는 겁니다. 저를 도와주십시오.”

“무엇을 도와달란 말입니까?”

박 형사가 오히려 당황스러웠다.

민수가 박 형사를 만난 이유는 따로 있었다. 자신 이외에 선우에게 드림슬립을 하는 사람이 누구인지 밝히려는 것이다. 아무래도 그자의 다음 대상이 순영일 것 같은 예감이 들었기 때문이다.

민수는 박 형사에게 한 가지 제안을 했다.

“형사님께서 저를 못 믿으시니 테스트해 보시면 어떻겠습니까? 그리고 확신이 서면 도와주세요?”

“무슨 테스트요?”

“박 형사님께서 가장 하고 싶거나, 보고 싶거나, 되돌아가고 싶었을 때가 있으면 말씀해 보십시오. 현재를 바꿀 수는 없어도 마음의 앙금은 씻어 내릴 수 있을 겁니다.”

박 형사는 민수의 말에 덜컥 겁이 났다. 살인 용의자에게 자신의 정신세계를 맡겨야 하니 당연히 망설여졌다.

*

박 형사는 한참의 고민 끝에 마침내 입을 떼었다.

“한번 해봅시다. 제가 못했던 것이 있어서….”

박 형사는 민수에 대한 의심이 완전히 사라지지 않았지만, 막상 대면해 보니 어딘지 모르게 믿고 싶어졌다. 그리고 가능할 거란 기대는 하지 않지만 응어리를 풀고 싶었다.

민수는 박 형사의 사연을 듣고 몇 가지 규칙을 설명했다.

"앞에 보이는 집을 머릿속에 기억하고 떠올리세요. 잠이 들면 저 집이 보일 것입니다. 그러면 출입구의 비밀번호를 알려드릴 테니 반드시 기억하셨다가 누르고 문을 열기 전, 만날 장소와 시간을 함께 말씀하셔야 합니다. 절대로 잊어버리거나 다른 번호를 누르면 안 됩니다."

민수는 낮은 목소리로 신신당부하며 최면을 걸었다.

거울에 한 채의 집 사진이 보이고 그 위에 글자가 천천히 쓰였다. '몽현동 300번지 245번째. 스물세 살 대학로 호프집 저녁 7시.' 박 형사는 천천히 따라 읽었다.

그 시간 그 장소는 젊은 날 형사가 되기 전 박주연이 친구들과 함께 어울려 놀고 있을 때였다.

민수를 만나고 경찰서로 돌아온 박 형사는 머릿속이 복잡했다. 상황이 어떻게 흘러가는 것인지 혼란스러웠다.

늦은 시간 메시지가 도착했다. 상담소장 민수가 보낸 것이다.

“몽현동 300번지 245번째. 스물세 살 대학로 호프집 저녁 7시.”

잠들 시간이 되었다는 뜻이다.

박 형사는 거듭해서 메시지를 읽고 나니 은근히 피곤함이 몰려왔다. 긴장이 풀리듯 온 몸에 힘이 쭉 빠졌다.

박 형사가 눈을 떴을 때 보인 것은 ‘몽현동 300번지’라고 쓰인 팻말이었다. 천천히 글자를 읽자, 안개가 걷히듯 멋스러운 집이 나타났다.

출입문을 열고 들어서자, 호프집에서 수다를 떨고 있는 한 무리가 보였다. 이십 대로 보이는 앳된 모습들. 정확히 말하면 그 옛날 박주연과 친구들이었다. 마치 시간 여행을 온 것처럼 느껴졌다.

그 모습을 잠시 보고 있자니 박 형사의 현재 기억이 점점 흐려지며 스물세 살 기억만 오롯이 남았다. 그 순간 박 형사의 모습도 어느새 젊은 박주연과 하나가 되어 있었다.

그때 한 사내가 주연에게 다가왔다.

“박주연씨? 박주연씨?”

처음 보는 사람이었다. 사내는 주연을 밖으로 이끌며 서둘러 집으로 가보라고 말했다.

"지금 집으로 가셔야 해요. 오늘이 아니면 다시는 기회가 없어요. 중요한 약속이 있잖아요? 시간이 없습니다. 부탁인데 제 말을 믿고 집으로 가보세요."

다른 설명이나 부연도 없이 사정하듯 말했다.

"대체 누구신데 그러세요?"

주연이 물었다.

"나중에 알게 되실 거예요. 우선 집으로 가보세요."

그는 도무지 이해되지 않는 말만 했다. 주연의 눈에 사내의 행동은 의심스러웠지만 너무도 진지하고 간절히 부탁했기에 마냥 무시할 수만은 없었다.

그때 문득 스치는 생각이 있었다. 아버지와의 저녁 약속이다. '내일 하면 되지.'라고, 생각했는데 왠지 사내의 말이 마음에 남았다. 주연은 친구들이 있는 자리로 되돌아가지 않았다.

알 수 없는 기분에 시간에 쫓기듯 곧장 집으로 달려갔다.

*

저 멀리 아버지의 모습이 보였다.

대문 앞에서 골목 아래를 바라보며 기다리고 계셨다.

'그날이었다.'

잠에서 깼을 때 박 형사의 눈에 눈물이 흐르고 있었다. 기분 좋은 눈물이었다. 회한의 눈물이다.

제19장

공 조

'Wish'라는 영어 단어가 있다. '가능성이 낮거나 불가능한 일을 바라며 이뤄 졌으면 좋겠다.'고 생각하는 것을 의미한다. 달리말해 마음이 바라는 소망이라 할 수 있다. 박 형사는 'Wish'를 경험 했다.

*

박 형사와 아버지의 모습을 묵묵히 뒤따라가며 보고 있던 사람이 있었다. 민수였다. 꿈속이었지만 주연의 재회를 지켜보며 가슴이 먹먹했다. 민수가 박 형사의 소망을 들어준 셈이다.

그러나 꿈속에는 민수와 박 형사만 있던 게 아니다. 젊은 박주연이 집 앞에 이르렀을 때 옆 골목에서 나오는 사람과 부딪쳤다. 모자를 꾹 눌러 쓴 남자는 미안하다는 말도 없이 오히려 주연을 노려봤다. 어두웠지만 눈초리가 매섭게 느껴졌다. 모자 아래 비친 남자의 피부는 유난히 희었다. 주연은 화가 났지만 남자는 이내 골목 안쪽으로 사라졌다. 남자의 몸에서는 독특한 향이 났는데 향수가 아니었다. 사람에게서 나는 고유의 냄새였다. 처음 맡았지만 기분 나쁜 냄새였다.

그 광경을 민수도 보았다. 주연이 자리를 떠나고 민수는 골목으로 사라진 남자를 뒤따라갔으나 꿈속 시간이 다 되어 슈팅되었다.

다음 날 박 형사가 민수를 찾아왔다.

"고맙습니다."

한결 부드러운 말투로 박 형사가 말했다.

"꿈에 저를 찾아온 사람은 누굽니까? 당신이 보낸 사람인가요? 그 사람이 일러주더군요. 집에 꼭 가보라고."

민수가 미소만 빙긋 띠었다.

"이제 저를 도와주시겠습니까?"

"알겠습니다. 어떻게 하면 됩니까?"

박 형사는 다른 토를 달지 않고 흔쾌히 수락했다.

"제가 꿈속 상황을 파악해서 말씀드릴 테니 형사님께서는 그 놈을 잡으세요. 범인을 잡는 것은 형사님 전문이시니."

"드림슬립을 해서 범인을 잡자는 말인가요?"

"그렇습니다. 꿈에서라도 범인을 알 수 있다면 현실에서 체포할 가능성도 있지 않겠습니까? 제가 함께할 테니 도와주십시오."

박 형사와 민수는 드림슬립 범인을 잡기 위해 공조했다.

민수는 우선 선우에게 드림슬립 했다. 꿈속 환경은 선우에게 메모리 되어있기 때문에 절대적으로 도움이 필요했다. 그러나 선우는 지난번 잠에서 깨어난 뒤 전편의 기억이 사라진 후였다. 민수는 그동안 선우의 꿈에서 일어났던 일들에 대하여 세세히 말해주어야 했다.

선우 역시 민수의 말을 통해 현재 자신의 꿈속에서 일어나고 있는 일들에 대하여 이해할 수 있었다. 자신 몰래 드림슬립하고 있는 사람이 누구인지 어디에서 일을 벌이고 있는지 찾아야만 했다. 더욱이 또 다른 희생자를 막기 위해서라도 반드시 밝혀내야만 하는 일이었다.

*

선우의 꿈속 세계 '몽현동 300번지'는 커다란 호텔과 같다. 그 세계에서 선우는 꿈의 방을 관리한다. 예를 들면 선우의 꿈속 세계는 각 구역에 따라 드림 룸이라는 수많은 꿈의 방들이 있고 각각의 방에서는 제각기 누군가의 꿈이 펼쳐지고 있다. 이곳에서 선우는 방을 안내하고 폐쇄하는 일을 한다. 그러나 꿈이 실행되고 있는 드림 룸은 관리자 선우라도 강제로 열고 들어갈 수 없다. 만약 이 규칙을 어기고 관리자가 직접 개입하게 된다면 꿈속 세계는 붕괴되고 그 드림 룸 주인 역시 코마 상태에 빠지게 된다. 즉 선우는 다른 사람의 꿈에 개입할 수 없으며 한번 들어가 사용된 꿈의 방은 재사용되거나 다시 재현되지 않고 무조건 폐쇄된다. 한 번에 한 꿈을 꾸고 폐기되는 일회용품 같은 것이다.

정리해 보면 자연수면을 통해 우연히 몽현동 300번지에 오게 된 사람들은 선우의 안내를 통해 방을 배정받고 그 방에서 자신의 꿈을 꾼다. 그 꿈이 좋은 꿈인지 나쁜 꿈인지 선우도 알지 못하지만, 이 과정 역시 자연스러운 꿈의 일부분이다.

그러나 최면을 통해 인위적으로 설계된 꿈에 접속하는 경우는 다르다. 그들은 선우의 안내 없이 직접 설계된 드림 룸으로 연결된다. 다시 말해서 드림슬립한 사람들은 몽현동 300번지라는 집을 보게 되며 부여된 번호를 누르고 문을 열면 자신들의 원했던 상황의 꿈에 도착하게 되는 것이다. 이 경우도 선우는 꿈이 종료된 후 드림 룸을 폐쇄할 뿐 관여할 수 없다. 다만 폐쇄 전 확인 가능한 것은 설계된 꿈의 마지막 현장 모습이다. 선우의 꿈속 몽현동 300번지는 이처럼 철저하게 관리되고 있다.

하지만 지금처럼 심각한 일이 벌어지면 선우의 안전을 위해서라도 몽현동 300번지를 완전히 폐쇄하거나 상호 최면 해지를 통해 삭제해 버려야 한다. 그렇지만 지금으로써는 그렇게 할 수도 없다. 꿈속 살인이 현실 살인으로 이어졌기 때문이다. 침입자를 찾는 게 무엇보다 중요해졌다.

두 사람은 사건이 발생한 곳을 찾기 위해 며칠 동안 폐쇄 된 드림 룸을 일일이 조사했다. 그리고 마침내 자기방어 기재가 작동했던 드림 룸을 발견했다. 민수도 낯설지 않은 곳이다. 마지막 사건이 누구의 꿈인지 비로소 짐작되었다. 범인은 분명 이 사람을 다시 노릴 것이다.

「동물병원」

순영은 수의사다. 작은 동물 병원을 운영하고 있다. 열일곱 살 때 보육원을 나와 수녀원에서 지냈다. 그곳에서 검정고시로 고등학교를 졸업한 후 대학에 입학했다. 태수와의 사건 이후 사람을 상대하는 것보다 동물을 가까이하는 것이 마음이 편했다.

*

동물 병원에 단골손님이 왔다.

"고양이가 요즘 도통 먹지를 않네요."

여성 손님은 걱정하며 말했다. 순영은 고양이 눈을 쳐다보았다. 유난히 크고 파란 눈동자였다. 한참 동안 바라보면 쏙 빨려 들어가는 눈빛을 지녔다.

"며칠 맡겨놓고 가세요. 관찰하면서 살펴볼게요."

순영의 말에 손님은 걱정을 덜어낸 모습이다. 단골손님은 출장이 잦은 관계로 고양이를 종종 맡기 곤 한다. 알게 된 지 1년밖에 되지 않았지만, 다른 곳보다 순영을 신뢰했다. 그러다 보니 어느덧 마음속 이야기도 할 만큼 가까워졌다.

*

퇴근 무렵 한 통의 전화가 왔다. 민수였다. 그러잖아도 순영은 상담소를 가보려던 참이었다. 지난번 방문 후, 한동안 악몽을 꾸지 않았는데 다시 꿈이 재현되었기 때문이다.

한편 민수는 낮에 박 형사도 만났다. 오늘 밤 범인을 잡기 위한 계획을 상의했다. 모든 것이 빠르게 진행되고 있었다.

민수는 상담소를 찾아온 순영에게 다시 한 번 최면요법을 권했다. 놀랄까 봐 다른 이야기는 일절 하지 않았다. 대신 취침할 시간과 꿈이 재현되는 장소를 정확히 알려주고 긍정적인 면을 강조하며 다독여 주었다. 덧붙여 반가운 사람을 만날 수 있다는 힌트까지 주었다.

모든 준비는 되었다. 민수도 박 형사도 순영도 이제 잠들면 된다. 순영의 취침 시간은 자정이었고 박 형사와 민수는 밤 11시 30분이다. 순영보다 먼저 꿈속에 도착하여 잠복해야 했다. 만약 순영보다 늦게 드림슬립이 되었을 때 어떤 일이 벌어질지 알 수 없기 때문이다. 또한 중요한 것은 슈팅 시간이다. 따지고 보면 꿈속에서 머물 수 있는 시간이 그리 길지 않다. 취침부터 범인을 잡기까지 시간이 잘 맞아야 한다. 무엇 하나라도 어긋나면 시간 제약으로 허사가 된다.

시그널 2

제20장

비 밀

배정애는 페미니즘(feminism)단체의 간사이다. 여성의 권리를 높이는 데 앞장서서 활동하는 열정적인 사람이다.

*

늦은 밤 심리상담소에서 보내온 문자를 읽고 얼마 지나지 않아 정애는 잠들었다.

'몽현동 300번지'

잠든 정애가 도착한 곳은 공원이었다. 아침 안개가 조금 끼었지만, 기온은 따뜻했다. 눈을 감고 고개를 젖힌 후 양손을 하늘로 뻗어 찌뿌듯한 몸을 이완시켰다. 그때 누군가 뒤에서 정애의 입을 틀어막고 강제로 차에 태웠다.

한참 후, 의식을 찾았을 때는 온몸이 꽁꽁 묶여있는 상태였다. 정면에 있는 밝은 전등만이 눈이 시리도록 얼굴을 비추었다. 마치 취조실 같았다. 어두컴컴한 이곳에 무언가 어른거렸다. 뚜렷하지는 않지만 분명 사람이었다.

이윽고 전등 뒤편에서 남자의 목소리가 들렸다.

"지금부터 당신은 내 질문에 대답만 하면 돼. 다섯 번의 기회를 줄 테니 잘 생각해서 말해. 그렇지 못하면 당신은 죽어. 적어도 나를 설득하거나 내가 원하는 답을 맞혀야 살 수 있지! 똑똑한 여자니깐 무슨 말인지 알 거야. 기회는 많지 않아. 신중해야 할 거야."

"내가 당신을 죽이려고 해. 이유가 맞춰봐?"

정애는 이런 말도 안 되는 상황에 화가 치밀었다.

"지금 무슨 짓이야? 당신 미쳤어?"

사내는 정애의 말에 사정없이 따귀를 때렸다.

"틀렸어! 답이 아냐."

정애가 다시 말했다.

"당신 누구야? 나한테 왜 그래. 내가 뭘 잘 못 했다고?"

사내는 다시 힘껏 따귀를 날렸다. 입술이 터지고 피가 흘렀다.

"틀렸어! 그 답이 아냐."

정애는 자신이 무엇을 잘 못했는지, 왜 이렇게 묶여있고 맞아야 하는지 도무지 알지 못했다.

"살려주세요! 제가 잘 못했습니다. 살려주세요!"

역시 이번에 날라 온 것도 남자의 거침없는 손찌검이었다.

"틀렸어. 말귀를 못 알아듣네. 내가 원하는 답이 아니라고!"

사내도 화가 치미는지 목소리를 높였다.

"규칙을 잊어버린 것 같은데 내가 질문하고 당신은 답하면 돼. 다른 말을 할수록 살아날 기회가 사라지는 거야."

"당신이 죽어야 하는 이유가 뭔지 생각 좀 해봐."

정애는 입을 떼기조차 두려웠다. 하지만 침묵에 또 어떤 일이 벌어질까 싶어 가만히 있을 수만은 없었다. 하는 수 없이 그녀는 무슨 말이라도 해야 했다.

"제가 죽어야 하는 이유를 찾는다면 잘 못 태어났기 때문입니다. 어린 시절 새 아버지가 친아버지인 줄 알고 자랐습니다. 그런데 그는 어머니와 저를 매일 같이 때렸습니다. 그 와중에 어머니는 교통사고로 돌아가셨고 저만 남게 되었습니다. 여덟 살 되던 해부터 저는 성폭행을 당했습니다. 열두 살이 되던 해 경찰에 도움을 요청했지만, 경찰은 제 얘기를 믿지 않고 오히려 새 아버지에게 되돌려 보냈습니다. 사는 게 지옥이었죠."

정애는 지난 일들이 가슴에 맺히는지 잠시 쉬었다가 말을 이었다.

"시간이 갈수록 폭행은 잦아졌습니다. 학교도 가지 못했습니다. 무서워서 저는 다시 도망쳤고 집을 나와 식당을 전전했습니다. 먹여주고 재워주는 곳이 있으면 어떤 일도 마다하지 않았습니다. 그러다가 시민단체에서 일하시는 분을 만났고 그분들의 도움을 받아 다시 공부하며 사회에 보탬이 될 일이 무엇일지 찾았습니다. 고민 끝에 저는 여성 인권 회복에 앞장서기로 결심했습니다. 제가 보아왔던 여성들은 어머니며 아내며 여자로서 제대로 대우받지 못했습니다. 핍박받고 차별받고 학대받아도 하소연할 곳 하나 없는 인권 사각지대에 있었습니다. 저는 그것을 알리고 사람들의 의식을 바꾸고자 노력하고 있습니다. 이런 제가 뭘 잘 못 한 것이 있는지 묻고 싶네요?"

"그랬군. 딱하게 자랐어. 감동적이긴 한데 내가 원하는 답은 아냐. 세상 어떤 사람도 편한 삶은 없어. 당신만 힘들게 산 게 아냐."

남자는 흐트러짐 없이 경청했다. 가끔은 공감하듯 고개도 끄덕였다. 그렇지만 행동은 달랐다. 정애의 속 깊은 말에도 아랑곳하지 않고 주먹부터 날렸다.

정애의 얼굴은 피투성이로 이미 알아볼 수 없을 만큼 변해있었다. 이가 부러졌고 턱도 움직일 수가 없었다. 남자에게서 인간미는 찾아볼 수 없었다.

"이제 한 번 남았군. 정답은 자신이 알고 있는 것을 말하는 게 아니야. 자신의 하고 싶은 것을 말하는 것도 아니고. 질문자가 원하는 말을 해야지."

정애는 혹시나 하는 기대마저 포기했다. 어차피 자신을 죽일 것만 같았다. 그는 정답을 원하는 게 아니었다. 죽이려고 핑계를 찾는 것처럼 보였다.

"그냥 죽여! 무슨 말을 하던 나를 죽일 거잖아. 미친 자식. 차라리 죽여!"

정애는 악에 받쳤다.

"용기가 대단해. 역시! 배짱은 있어. 그런데 어쩌나 마지막 기회도 날렸군. 자신이 하고 싶은 말을 해버렸어."

정애는 그의 말이 들리지 않았다. 그저 고통을 줄여주기를 바라며 중얼거렸다.

"네 맘대로 해. 어차피 선택권은 내게 없잖아."

남자는 정애의 말에 피식 웃었다.

"맞았어! 바로 그거야. 정답을 맞혔군. 넌 할 수 있는 게 없어. 선택권은 처음부터 없었어. 나는 당신 같은 사람을 경멸해. 너무 드세거든. 남자를 이기려고 하지. 내 어머니처럼 자기 멋대로야!"

"난 그런 여자는 질색이거든. 하하하."

"참! 정답을 맞혔는데 이걸 어쩌나. 너무 늦었어. 이미 기회를 다 써버렸거든. 진작 말했으면 이렇게 고생하지 않잖아. 날 원망하지 마. 기회는 네가 날린 거야. 안타깝지만 약속했으면 지켜야지!"

'혹시 이 남자….'

정애의 머릿속에 무슨 생각이 스칠 때 남자는 뒷주머니에서 쇠망치를 꺼내 머리를 내리쳤다. 순식간이었다. 공기를 가르는 소리만 들릴 뿐 비명조차 없었다.

"턱 턱 턱"

물동이가 엎어진 것처럼 바닥에 피가 흥건했다. 꿈속이지만 끔찍했다.

「살인 성장통」

사내에게 살인은 성장통 같다. 처음 살인을 했을 때가 열한 살이었다. 부모의 죽음 앞에서도 눈물 한 방울 흘리지 않았다.

간경화로 배가 불룩 나온 아버지는 누워만 계셨다. 아버지가 죽던 날도 어머니는 건넛방에서 외간 남자와 그 짓을 했다. 숨이 넘어가고 있는 아버지 방까지 헐떡이는 숨소리와 신음이 들렸다. 어머니를 부르려 했지만, 아버지는 어린 사내의 손을 꽉 잡았다. 그것이 아버지의 마지막 온기였다. 그리고 잠시 후 시체가 되어버린 아버지와 술과 향락에 빠진 짐승들이 한 지붕 아래 잠들어 있었다.

아이는 컴컴한 거실로 나와 양초에 불을 붙였다. 그날은 아이의 생일이기도 했다. 어둠을 몰아낸 열한 개의 촛불은 유난히 밝았다. 아이는 촛불을 짐승 우리에 가져다 놓은 뒤 외투도 없이 밖으로 터벅 터벅 걸어 나왔다.

밖은 어둡고 추웠지만 전혀 느끼지 못했다. 그저 저만치서 활활 타고 있는 불을 덤덤하게 바라봤다. 집이 불타면서 전해지는 열기는 아이가 지금까지 느껴 본 가장 따뜻한 온도였다.

그런데 그 불로 인해 짐승들만 죽은 것은 아니다. 거미줄처럼 얼키설키 엉킨 판잣집들이 모두 잿더미가 되었다. 그로 인해 또 다른 억울한 이들이 생겨났다.

*

경찰은 실수로 인한 화재로 여겼을 뿐 아이의 짓이라고는 짐작도 하지 못했다. 그렇게 아이는 고아가 됐고 보육원에서 자랐다.

중학교 시절에는 이런 일도 있었다. 경쟁 관계였던 친구가 어느 날 옥상에서 떨어져 자살했다. 이유도 밝혀지지 않았다. 다만 그 뒤로 아이는 줄곧 1등을 놓치지 않았다. 그런 일이 있을 때마다 아이는 성장했고 한층 더 똑똑해졌다.

하지만 치욕스러운 실패가 한 번 있었다. 마지막 성장통을 거치는 과정이었다. 성공하지 못 한 채 지나갔다. 그런데 만회할 기회가 다시 왔다. 며칠 내로 길었던 성장통을 끝낼 수 있을 것이다. 어른이 된 아이는 이날을 기다렸다. 완전한 살인마가 되기 위한 마지막 단계였다.

제21장

함 정

민수와 박 형사는 순영의 꿈속에 들어왔다. 꿈속 시간으로 밤 9시. 어둠이 깊은 시각이었다.

*

골목에서 만난 박 형사는 민수를 보더니 갑자기 손목을 잡아채며 뒤로 꺾었다. 박 형사의 눈에는 낯선 남자일 뿐 누구인지 알지 못했다. 순간적으로 꿈속 살인자라고 여긴 모양이었다. 현실에서 만난 상담소장은 불편한 몸이었지만 꿈에서 마주친 민수는 전혀 다른 사람이었기 때문이다.

당황한 민수가 말했다.

"형사님? 왜 이러세요? 뭐 하시는 거예요."

민수 말에 대꾸도 없이 박 형사는 수갑을 채웠다.

"가만있어. 인마! 이 양반은 왜 안 오는 거야."

"형사님 수갑 좀 푸세요. 저 상담소장입니다."

"뭔 소리야 인마. 네가 상담소장이면 난 교수다."

박 형사는 귓등으로도 듣지 않았다.

"아! 정말. 이러지 마시고 제 얘기 좀 들으세요. 저 진짜 상담소장 김민수입니다. 모습이 바뀌어 몰라보시나 본데. 제 목소리 들어보세요. 어때요? 같은 목소리죠?"

박 형사가 멈칫했다. 비슷한 목소리였다. 어찌 된 영문인지 감이 잡히지 않았다.

"그 얼굴은 뭡니까?"

박 형사가 의심스러운 듯 물었다.

"꿈이라서 예전 제 모습으로 돌아온 겁니다. 이건 꿈이잖아요!"

박 형사는 믿기지 않았지만, 남자의 눈을 보니 현실이나 꿈속이나 같은 사람이었다.

잠깐의 해프닝이 끝나고 두 사람은 계획대로 움직였다.

민수는 골목 위쪽에서 아래를 볼 수 있도록 몸을 숨겼고, 박 형사는 골목 입구 쪽 건물 틈 사이에 잠복했다.

*

얼마 후 순영이 보였다. 큰 도로에서 골목으로 들어섰다. 고개를 숙인 채 힘겹게 걸어 올라가고 있었다. 순영이 집 가까이 다다를 때까지도 아무런 일이 벌어지지 않았다. 같은 장소, 같은 시간에 반복되는 꿈이었는데 이번은 달랐다.

꿈이 변형을 일으켰다. 놈이 드림슬립을 하지 않았을 수도 있지만 놈은 분명 드림슬립 해 있다. 왜냐하면 레볼루션이 일어났기 때문이다. 누군가 허락 없이 무의식 경계를 넘어올 때 나타나는 현상이다. 그러나 문제는 놈이 누구의 드림 룸에 숨어들었는지 알지 못했다. 이대로라면 함정을 팠던 일도 헛수고다.

순영이 집 앞에 도착할 때쯤 누군가 뒤에서 불렀다.

"누나?"

익숙한 목소리였다. 말투도 똑같았다. 돌아보기가 떨렸다.

"나야. 오랜만이야."

확실했다. 그 사람이다. 민수다. 꿈에서조차 볼 수 없었던 사랑하는 사람이었다. 순영은 그의 가슴에 덥석 안겼다.

"어디 있었어? 얼마나 걱정했는데…."

꿈속이지만 따스했고 심장이 뛰는 것도 느껴졌다. 민수는 아무 말 없이 그녀를 꼭 끌어안았다.

"어떻게 된 거야? 몸은 괜찮아?"

순영이 재차 민수의 몸을 살피며 말했다. 다행히도 건강한 예전 모습이었다.

"나는 괜찮아. 잘 지내고 있어 염려 마. 꿈이라고 흘려듣지 말고, 내 말 잘 기억해 둬. 나는 멀지 않은 곳에 있으니 걱정하지 마! 살아있으니 보고 싶을 땐 이렇게라도 올 테니 날 믿어."

박 형사는 그 모습을 멀리서 바라봤다. 어떤 사이인지 충분히 짐작되었다. 민수가 이 사건을 도와달라고 했던 이유도 비로소 알 것 같았다.

순영은 꿈이지만 그를 보고 있는 것만으로도 감사했다.

*

슈팅 시간이 다가오자, 민수가 순영에게 말했다.

"또 볼 수 있을 거야. 꼭 보러 올게. 만약 현실에서 어떤 형사가 찾아가면 그 사람을 믿어. 의심하지 말고 그 사람을 믿어. 알았지?"

민수가 슈팅 되었다. 눈앞에서 연기처럼 사라졌다. 순영은 덩그러니 혼자 남았다. 현실에서처럼 그렇게 다시 혼자였다.

*

순영이 슈팅 되려면 아직 10분가량 남아있었다. 그때 누군가 뒤에서 소리 없이 순영을 감싸 안았다.

그놈이었다. 박 형사와 민수가 슈팅되기를 기다리고 있던 것이다. 어디선가 보고 있던 게 분명했다.

놈은 순영을 담벼락에 밀쳤다. 몸부림치며 반항하는 사이 놈의 모자가 벗겨졌다. 순영은 깜짝 놀랐다. 멈춰버린 발은 한 걸음도 뗄 수 없었다. 몸이 움직이지 않았다. 태수였다.

"왜? 나여서 놀랐어. 놀랄 거 없어. 예전에도 경험했잖아?"

태수는 변한 게 아무것도 없었다. 자세히 말해서 변한 게 아니라 더 진화되어 있었다. 여유로워진 말투와 표정. 핏기 없는 피부색. 완벽한 살인마였다.

"만나니 반갑군. 역시 사람은 오랜만에 만나야 좋은 거야."

놈은 순영의 목을 졸랐다. 손아귀에 힘을 주었다 뺐다 하며 숨통을 옥죄었다. 그때 또 다른 누군가 나타났다. 순영도 모르는 사람이었다.

"네가 뭔데 끼어들어!"

사내는 태수의 가랑이 사이를 세게 걷어찼다. 푹 쓰러진 태수는 사방을 나뒹굴었다. 사내는 인정사정없이 태수를 짓밟았다. 갑작스러운 공격에 태수는 반격도 못 하고 흠씬 두들겨 맞았다. 그러다 호주머니에서 칼을 꺼내 사내의 발등을 가차없이 찍었다.

"칼? 실컷 찔러봐!"

사내는 아무렇지도 않은 듯 호기를 부렸다. 그 모습에 태수는 더욱 흥분하여 칼을 휘두르며 달려들었다. 무참하게 사내의 온몸을 쑤셔대는 태수는 마치 피에 굶주린 짐승 같았다. 사내 또한 마찬가지였다. 먹잇감을 잡는 짐승처럼 피를 흘리면서도 태수의 얼굴을 이빨로 물어뜯으며 똑같이 피범벅으로 만들었다. 어떤 상황으로 끝이 날지 모르던 찰나 갑자기 모든 상황이 종료되었다.

순영이 놀라며 잠에서 깨어났다. 꿈이 끝났다. 어찌 된 일인지 알 수 없었지만 생생한 꿈이었고 지독한 꿈이었다. 민수를 보았고 그놈도 보았다. 순영은 기억이 사라지기 전에 내용을 메모했다. 잊지 말아야 했다. 악몽은 태수였다.

그런데 그곳엔 다른 누군가가 있었다. 자신을 구해준 것인지 아니면 자신을 해하려는 다른 존재인지 명확히 알 수는 없지만 덕분에 살았고 악몽에서 깨어났다.

*

먼저 슈팅 된 박 형사와 민수는 순영에게 어떤 일이 벌어졌는지 알지 못했다.

꿈에선 깬 순영이 상담소장에게 다급히 전화했다. 갑작스럽게 걸려온 전화에 민수는 의아했다.

"무슨 일 있으세요?"

"악몽을 꿨어요! 무서워서 어떻게 해야 할지 모르겠어요?"

순영이 울먹였다.

"꿈에서 깨어났으니 괜찮습니다. 다시 잠들어도 꿈꾸지는 않을 겁니다. 제 말 믿으셔도 돼요."

민수는 순영이 진정될 수 있도록 차분히 들어주었다.

순영과 전화 통화를 마치자, 이번에는 선우로부터 전화가 걸려왔다.

"무슨 일이야? 갑자기!"

민수가 먼저 물었다.

"네가 슈팅 되고 놈이 움직였어. 어떻게 된 건지는 모르겠는데 방어기제가 작동한 것 같아. 갑작스럽게 나도 깼거든."

"너까지 깼다고?"

"나도 모르게 위험을 느꼈나 봐."

민수는 그제야 상황이 파악되었다. 자신이 슈팅 되고 나서 놈이 움직였다면 놈은 민수와 박 형사가 무엇을 하려는지 눈치 챘게 분명했다. 적어도 민수가 어떤 사람인지 알고 있는 것이다. 정보가 노출되었다.

'어디서일까?'

민수는 밤새워 생각했다.

*

날이 밝자 민수가 박 형사를 찾아갔다. 슈팅 후 일어났던 일에 대해서 자세히 설명했다. 민수는 박 형사에게 부탁했다. 자신이 갈 수 없으니 대신 순영을 살펴봐 달라고 거듭 사정했다.

박 형사는 순영을 만나보기로 했다. 도대체 꿈속에서 만난 사람이 누구인지 명확히 알아야 했다. 순영과 어떤 관계인지도 자세히 파악해야 했으며 현실에 존재하는지도 밝혀야 했다.

*

그 사이 민수와 선우는 꿈 설계를 다시 했다. 잠이 들면 사라지는 선우의 기억 때문에 그간 일어난 일을 정리하여 선우에게 건네주었다. 수면 중에도 이전 기억을 상기시킬 수 있도록 꼼꼼히 읽어두라고 신신당부했다. 이것은 아주 중요한 일이었다. 적어도 꿈속 환경을 제공하는 채널러인 만큼 꿈과 현실에서의 기억이 모두 같아야 했다.

*

순영의 동물병원에 박 형사가 찾아왔다. 처음 보았지만 꿈에서 민수가 했던 말이 떠올랐다. 박 형사는 다른 말을 생략하고 심리상담소장 부탁으로 방문했다고 전했다.

박 형사는 순영이 꾸었던 악몽에 관한 이야기를 처음부터 들었다. 과거 순영에게 어떤 일이 있었는지 숨겨왔던 비밀까지 알아냈다. 지난날 순영을 죽이려 했던 사람이 태수였고, 그날 밤 구해준 사람이 살해되었다는 사실까지 밝혀냈다.

순영과 대화를 통해 박 형사 머릿속엔 사건 전체가 비로소 그림처럼 그려졌다. 순영에게 트라우마가 된 사건부터 민수와의 이별. 그리고 재현되는 악몽까지 모든 게 맞춰졌다. 더욱이 순영을 구해준 사람이 자신의 아버지였다는 사실을 새롭게 알게 되었다. 박 형사는 몸이 부르르 떨렸다. 아버지를 죽인 범인이 태수라는 걸 직감했다.

경찰서로 돌아온 박 형사는 강 형사에게 '유태수' 조사를 부탁했다. 그가 어디 있는지 찾아야 했다. 살인 증거는 나중 일이다. 급한 건 실체였다.

시그널 2

제22장

추적자

며칠 후 강 형사가 유태수에 대한 조사를 알려왔다.

“유태수와 차순영은 같은 보육원에서 자랐더군. 머리가 무척 좋았나 봐. 공부도 아주 잘했어. 고등학교 3학년 1학기가 끝나고 해외 대학에 합격해서 여름에 유학하러 갔더라고. 처음에는 선교원 도움을 받고 지냈는데 1년 뒤 독립했대. 그 뒤로는 누구와도 연락을 하지 않았나 봐. 다른 기록을 찾지 못했어. 마치 사라진 것처럼 말이야.”

“그럴 수도 있나? 기록이 없다는 게?”

“그러게. 사망하거나 실종되었다면 몰라도……. 국내에서 조사할 수 있는 데는 한계가 있다 보니 여기까지야.”

강 형사가 아쉬운 듯 말했다.

*

‘놈이 실존하지 않는다는 말인가.’

‘꿈에 나타나는 존재는 무엇인가.’

다시 장벽에 가로막힌 기분이었다. 그러나 여기서 멈출 수는 없었다.

박 형사는 조언을 구하기로 했다. 늦은 저녁이었지만 염치 불고하고 김태련 교수를 만나러 갔다.

밤이라서 그런지 김태련 교수의 차림은 수수했다. 화장기도 전혀 없이 편한 복장이었다. 유난히 흰 피부가 돋보였다. 오히려 화장이 방해될 듯 무척 고왔다.

"갑자기 뵙자고 해서 죄송합니다. 놀라셨죠?"

"아닙니다. 괜찮습니다. 내일 출장을 가야 해서 짐을 꾸리던 참이었습니다."

괜찮다고 말했지만, 김태련은 안색이 좋지 않았다.

"무슨 일 때문에 그러신데요? 전화로 하셔도 되는데…."

박 형사가 잔사설을 빼고 요점만 물었다.

"한 가지 여쭤볼게요. 죽은 사람도 드림슬립이 가능한가요?"

"가능합니다."

역시 김태련 교수답게 대답이 간결했다.

"흔히 꿈에서 돌아가신 분들을 만났다고 하지 않습니까. 큰 틀에서 보면 죽은 자의 드림슬립이죠."

"죽은 사람이 산 사람을 죽일 수도 있습니까?"

"현실에서는 불가능하지만 꿈이라면 가능성이 있습니다. 악몽의 경우 극도의 공포감으로 인한 심정지가 올 수도 있죠. 확답은 못 드리지만 그럴 수 있다고 생각합니다."

박 형사가 덧붙여 질문했다.

"교수님은 드림슬립을 시도해 보지 않으셨나요?"

"……."

김태련 얼굴에 짜증이 비쳤다.

"물론 시도는 해봤지만 성공하진 못했습니다."

계속된 질문에 김태련은 언짢은 표정을 지으며 입안에 무언가를 털어 넣었다.

"어디 아프세요?"

"별거 아닙니다. 피로회복제입니다."

김태련은 얼버무리며 재빨리 약통을 챙겨 넣었다. 언뜻 보아도 낯익은 글자가 쓰여 있었다. '아이 알 코돈' 민수가 먹는 약과 동일했다.

김태련 교수는 박 형사와 마주하는 것이 불편해 보였다.

"더 물으실 게 있으신가요? 제가 내일 바빠서…."

"아! 네. 궁금증 풀렸습니다. 교수님 말대로 전화할 걸 괜히 귀찮게 해드렸네요. 시간 내주셔서 감사합니다."

박 형사는 눈치가 빠른 편이다. 더는 묻지 않고 급히 마무리했다. 김태련 교수 역시 서둘러 자리를 떠났다. 그 순간 박 형사의 코가 찡긋했다. 어디서 맡아 본 냄새였다. 기억 저편 어딘가에 있던 향기다. 현실이든 꿈이든 분명 알고 있는 냄새이다.

*

경찰서로 돌아온 박 형사는 김태련 교수에 대한 궁금증이 일었다. 우선 민수에게 전화를 걸어 김 교수와 나눈 얘기를 재확인했다.

"죽은 사람도 드림슬립이 가능해요?"

"불가능합니다. 드림슬립은 살아있는 사람에게 쓰는 개념입니다. 현실에서 어떤 행위를 능동적으로 할 때 가능한 것이니까요. 죽은 사람은 능동적일 수 없지 않습니까. 설령 영혼이 있다고 해도 영혼이 스스로 생각하고 판단할 수 있다고는 생각하지 않습니다."

"죽은 사람이 꿈에 보이는 것은 뭔가요?"

박 형사는 김태련 교수에게 물어본 것을 민수에게도 똑같이 질문했다.

"죽은 사람이 꿈에 나타나는 것은 망상입니다. 꿈을 꾸는 주체자가 심한 트라우마나 고민에 빠져있을 때 해결책을 바라는 마음에서 만들어 낸 자기망상이죠. 자기망상은 드림슬립한 꿈에서는 재현되지 않습니다. 자연수면 상태에서만 가능합니다. 혼자 만든 상상 세계니까요."

민수의 대답은 김태련 교수의 말과는 달랐다.

"한 가지만 더 물어보죠. 지금 복용 중인 약은 어떤 겁니까?"

"그건 왜 물으세요?"

"제가 아는 분도 그 약을 드시기에요."

박 형사는 은근슬쩍 넘겼다.

"진통제입니다. 먹지 않으면 못 견딜 정도로 아프죠. 그 약은 일반 진통제와는 달라요. 뇌에 종양이 생긴 분들만 드시죠. 해마에 과도한 스트레스가 발생해서 생긴 겁니다. 그분도 기억을 많이 요구하는 일을 하셨나 봅니다."

박 형사는 즉답을 피했다

"알겠습니다. 내일 봅시다."

통화를 마친 박 형사는 마음이 편치 않았다. 민수의 병명을 들어서일까 모질게 몰아붙였던 자신이 미안했다. 그리고 한편 김태련 교수가 의심스러웠다. 전문가라는 사람이 왜 그런 거짓말을 했을까? 몸에서 풍기는 향은 어디서 맡은 것일까? 그 약은 뭘까?

박 형사는 수첩을 꺼내 단어를 정리했다. 김태련 교수? '외국. 심리학. 최면. 꿈. 전문가. 약. 거짓말. 향기' 다른 페이지에는 유태수? '보육원. 성폭력. 유학. 심리학. 행방불명'이라고 적었다. 그런 후 양쪽이 비교되도록 배치했다.

박 형사는 조용히 김태련 교수를 조사하기 시작했다.

한동안 민수는 두통이 심해져서 상담소를 열지 못했다. 선우는 최근 들어 수면시간이 짧아지고 있었다. 깨어있는 날도 제법 되었고 질환이 차츰 나아지고 있다. 그런데 관할에서는 여전히 심장마비 사망사건이 일어났다. 이번에는 젊은 여성들뿐만 아니라 남성들에게서도 발생했는데 평소 문제를 일으키고 있는 거친 사람들이었다. 시간이 흐를수록 어딘지 모르게 꼬여가는 느낌이었다.

*

얼마 후 박 형사에게 국제우편이 도착했다. 캐나다 법원에서 온 것이다. 김태련 교수에 관한 내용이었다. 문서를 살피던 박 형사는 충격에 휩싸였다. 믿을 수 없는 내용이 담겨있었다.

김태련의 본명은 유태수였다. 남성이었고 성(性)전환자였다. 단순한 내용이 아니었다.

유태수가 캐나다에서 박사과정을 거칠 때 세미나 참석차 태국으로 출장을 간 적 있다.

출장 둘째 날 저녁, 태수는 어떤 무리에 의해 납치당했다.

그리고 며칠 후 그는 흰 천으로 몸이 감싸인 채 길거리에서 발견되었다. 의료진이 그의 몸에 둘러싸인 천을 벗겨내자 끔찍한 모습이 드러났다. 그 자리에 있던 모두가 경악을 금치 못했다. 신장 한쪽과 성기는 사라졌고 가슴은 도려내져 있었다. 아무리 치안이 불안한 곳이라고는 했지만, 세미나 참석을 위해 방문한 연구원이 이런 일을 당한 것은 처음이었다.

다행히 목숨은 건졌지만 한 사람의 정체성이 상실된 엄청 난 사건이었다. 이후 몸이 회복된 유태수는 캐나다 법원에 정식으로 성전환 인정 재판을 신청했다. 그 결과 성전환이 어쩔 수 없는 경우로 판명되어 여성으로서 새로운 신분을 부여받았다.

*

박 형사는 도저히 믿기지 않았다. 머리를 해머로 맞은 것처럼 정신이 멍했다. 그래도 다행인 것은 김태련에 대한 실체가 밝혀졌다는 점이다. 김태련과 유태수는 같은 사람임이 분명했다. 또 그가 살인자란 사실도 변함은 없다.

그러나 더 큰 문제가 남아있었다. 현실에서 살인을 증명할 것은 아무것도 없었다. 최면과 드림슬립을 주장해 봐야 정신병자 취급밖에 당하지 않을 것이다. 체포나 처벌을 할 수 있는 길이 좀처럼 보이지 않았다. 이번 사건은 일반적인 방법으로 해결할 수 있는 일이 아니었다.

*

박 형사는 며칠 고민 끝에 민수와 상의했다. 상담소가 아닌 경찰서에서 만났다. 자신이 알게 된 김태련에 대한 실체를 민수에게 말했다. 민수 역시 충격을 받은 듯 잠시 말을 잇지 못했다.

박 형사가 말했다.

"당분간 상담하지 않는 것이 좋을 듯합니다. 우리 역시 상담소에서는 만나지 않는 것이 좋고요."

"왜 그러시는데요?"

박 형사가 민수를 상담소가 아닌 경찰서에서 만난 이유도 여기에 있다.

"사건을 볼 때 김 교수는 어딘가를 통해 정보를 수집하고 있는 것 같습니다. 아무래도 상담소에 무언가 설치돼 있지 않나 싶어요. 왜냐하면 상담 내용과 최면 주문까지 알 방법은 그곳이 아니면 불가능하지 않을까요?"

민수도 박 형사의 말에 동의했다. 어딘가 숨겨진 카메라가 있을 수도 있다. 상담소를 계약한 것도 김 교수였다. 휴대전화기 역시 그가 선물해 준 것이다. 핵심은 사망자들에게 보내진 최면 메시지였는데 심하경의 경우 민수가 보내기는 했지만 이미 사망 후였다. 그렇다면 그 전에 민수의 휴대전화기로 보내진 문자메시지는 어떻게 된 것일까. 만약 휴대전화기가 복제되었다면 의문점은 풀린다. 종합해 보면 지금까지 통화 내용이나 진행 상황을 김 교수는 알고 있었을 가능성이 높다. 범인은 가까이 있었다.

다만, 풀리지 않은 의문은 순영의 꿈에 등장해 태수와 싸운 사내의 정체다. 그가 누구인지 파악되지 않은 존재다. 또 다른 드림슬립 자일까. 아니면 단순히 꿈에 나타난 인물일까. 어찌 되었든 그 덕분에 순영은 위기에서 벗어날 수 있었지만 생각할수록 의문이 남는 부분이었다.

박 형사와 민수는 각자의 생각을 정리한 후 새로운 계획을 세웠다. 복잡한 일일수록 한 가지씩 풀어나가기로 했다.

박 형사가 먼저 의견을 제시했다.

"이렇게 합시다. 앞으로 통화는 다른 전화기를 사용하고 중요한 미팅은 다른 곳에서 하지요. 이 사실을 김태련은 몰라야 합니다. 일단은 우리가 미궁에 빠진 것처럼 자연스럽게 꾸며야 합니다. 문제는 그를 잡는 것인데 저로서는 묘안이 떠오르지 않네요."

민수는 박 형사가 무슨 말을 하고 있는지 알겠다는 듯 고개를 끄덕였다.

"현실에서 체포한다는 것은 제 생각에도 불가능해 보입니다. 우리 방식으로 해보면 어떨까요?"

"어떻게요? 지난번처럼 드림슬립을 하자는 건가요?"

"그렇습니다."

"같은 꿈에 다시 속을까요? 함정 판 것을 알고 있을 텐데."

"속더라도 나타날 겁니다. 꿈이기 때문이죠. 더욱이 그의 목적인 순영씨가 아직 남아 있잖아요."

"꿈속에서 체포해봤자 깨어나면 소용없지 않습니까? 현실에서 처벌할 수 없는데요?"

박 형사가 반문했다.

"물론 그렇죠. 그러니까 놈은 반드시 다시 나타날 거고. 꿈에서 잡아 꿈에서 죗값을 치르게 해야죠."

민수는 자기 생각을 박 형사에게 이야기했다.

"현실에서 그를 단죄할 수 없다면 꿈에서 끝내야 합니다. 김 교수 아니 유태수가 했던 방법으로 되갚아 주는 것이죠."

"꿈속에서 유태수를 죽이자는 말인가요?"

"꼭 그런 것은 아닙니다. 죽고 싶을 마음이 들도록 깨어나지 못하게 만들어야죠."

"어떻게 하자는 말이에요?"

박 형사는 좀처럼 이해되지 않았다.

민수가 다시 말을 이었다.

"너무 복잡하게 생각하지 마세요. 유태수를 막아야 하는 목적만 생각하죠. 방법은 두 가지입니다. 첫째 그를 꿈에서 체포해 다시 잠들게 하는 겁니다. 최면을 통하든 아니면 다른 방법 쓰든 간에 우선 그것이 제일 먼저입니다. 그런 후에 꿈속 코마 상태에 빠진 가상의 인물을 만들어 놓고 최면을 걸어 유태수를 그의 꿈에 또다시 드림슬립 시키는 것입니다."

"그것이 가능해요?"

박 형사가 의문스럽게 물었다.

"가능합니다. 조금 어렵기는 해도 할 수 있습니다. 그런 후에 우리는 슈팅해서 나올 겁니다."

"처음부터 이 방법을 쓰면 되잖아?"

"그것은 안 됩니다. 꿈은 새로운 상황 설계가 얼마든지 가능하지만, 현실은 다르니까요."

"만약 그렇게 했는데 채널러가 깨어나면 모든 게 원점으로 되돌아가는 것은 마찬가지 아닌가요?"

박 형사가 끊임없이 의문을 제기했다.

"좋은 지적입니다. 그래서 이번 최면은 조금 특이합니다. 하나의 상황에서 유태수가 슈팅 되면 그 순간 다시 드림슬립이 되게 할 겁니다. 마치 뫼비우스 띠처럼 무한 반복되는 상황이죠."

"최초 상황에서 빠져나오는 슈팅이 곧 또 다른 드림슬립이란 말이죠?"

"맞습니다."

박 형사는 좀처럼 믿기지 않았지만 우선 그의 말을 따르기로 했다.

"무슨 말인지 일단 알았어요. 그럼 해봅시다."

"다른 대안은 없습니다. 이번 기회를 놓치면 다음을 기약하기 어려워요. 정말 현실에서 극단적인 방법을 사용하지 않는 이상 어쩌면 그의 살인 폭주를 다시는 막을 수 없게 될지도 모릅니다."

민수는 냉정하리만큼 단호하게 말했다. 평소의 모습과 확연히 달랐다. 하지만 위의 방법은 치명적 결함이 있었다. 현실이건 꿈이든 간에 최악의 상황에서는 누군가 그를 죽여야만 한다. 살인자가 될 수밖에 없다. 누가 할 것인가? 쉽게 결정할 수 있는 문제가 아니었다.

박 형사와 민수는 고민에 빠졌다. 방법의 문제가 아니라 선택의 문제였다.

순영은 요즘 들어 꿈을 꾸지 않았다. 얼굴도 밝아졌고 건강도 회복되어 갔다.

지난번 고양이를 맡기고 갔던 단골손님으로부터 전화가 왔다. 갑작스러운 출장으로 바로 데려가지 못해서 미안하다며 며칠만 더 보살펴달라는 부탁이었다. 대신 귀국 후, 저녁 식사를 대접하겠다고 말했다. 순영도 좋은 사람이라고 여겼기에 흔쾌히 수락했다.

시그널 2

제23장

역 습

민수는 마지막 전략을 짜는 데 집중했다. 완전히 새로운 방법이어야 했다. 상대는 최고의 전문가다. 작은 빈틈만 보여도 실패할 수 있다. 획기적인 발상이 필요했다. 최면에 관한 모든 자료를 검토했다. 그러던 중 뜻밖의 사실을 알게 됐다. 최면을 사람만 걸 수 있는 게 아니었다. 동물도 최면을 걸 수 있다는 사례를 찾아냈다.

*

'1940년 2차 세계대전 당시 존재 했던 '퍼피'라는 고양이 경우이다. 페르시안 고양이로써 전쟁 중 다친 군인들을 안정시키는데 놀라운 능력을 발휘했다는 기록이었다. 당시 실험 결과 300명 이상의 사람을 최면상태로 만들었고 그들의 불안한 마음을 안정시켜 편안히 잠을 자게 도와주었다. 위 기록의 핵심은 페르시안 고양이 특유의 눈동자 빛깔에 있었다.

연구기록에는 고양이에게 최면 훈련을 시켰던 법과 카운트법도 남아있었다. 이것이면 가능했다.

*

민수는 마음속으로 빌었다. 마지막 우연이 필연이 되기를 기도했다. 김태련이 동물을 좋아해야 했고 그와 정면으로 앉을 기회를 만들어야만 했다.

한편 박 형사는 김태련 교수가 해외 출장 중임을 파악했다.

그래서 최근에 일어난 일련의 사건들에 대해서 꼼꼼히 되짚어 보았다.

최초의 사건은 차순영과 유태수로부터 시작되었다. 어차피 엉킨 매듭도 그 둘이 만나야 풀 수 있었다.

박 형사는 순영을 찾아갔다. 그에게 유태수가 살아있다는 것을 알려주어야 했다.

한결 밝아진 순영을 보니 박 형사도 기분이 좋았다. 순영 역시 몇 번 대면하지 않았지만 박 형사가 친근하게 느껴졌다.

"요즘 잘 지내시죠?"

박 형사가 안부를 물었다.

"네. 전보다 편해졌습니다. 악몽도 줄었고요."

"다행이네요. 다름 아니라 할 말이 있어 왔습니다. 순영씨가 도와주셔야 됩니다."

순영은 벌써 가슴이 조마조마했다.

"어차피 현실에서 발생하지 않으니깐 너무 걱정하지 마세요."

박 형사는 애써 순영을 진정시켰다.

"유태수를 찾았습니다."

순영은 태수라는 말에 몸이 경직되었다.

"너무 겁내지 마세요. 유태수라는 사람은 지금 예전의 모습이 아닙니다. 사진을 한번 보십시오. 이 여자입니다."

박 형사가 내민 사진을 보고 순영은 몸서리치게 놀랐다.

"왜 그러세요? 혹시 만났습니까?"

"단골손님!"

순영은 입술을 파르르 떨며 말을 잇지 못했다.

결론적으로 유태수는 김태련 교수였고, 김태련 교수는 순영의 동물병원 단골손님이었다. 페르시안 고양이의 주인. 피할 수 없는 운명이었다.

*

순영은 단골손님인 김태련과의 관계를 박 형사에게 말해주었다. 다음 주말 저녁 약속까지 되어있었다. 짐작도 못 했던 일이다. 박 형사는 이 사실을 민수에게도 알려야 했다.

예상치 못했던 것은 민수도 마찬가지였다. 이것은 우연히 아니라 치밀히 계획된 접근 같았다. 만만한 상대가 아니었다. 그래도 다행스러운 것은 김태련 교수 정확히 말하면 유태수가 동물을 싫어하지 않을뿐더러 고양이를 맡겨 놓았다는 사실이다.

이제 김태련을 잡기 위해 모두가 힘을 합쳐야 했다.

민수는 모두를 불러 모았다. 장소는 선우의 집이었다.

민수, 순영, 박 형사, 선우가 처음으로 한자리에 모였다. 그러나 민수의 모습은 보이지 않았다. 서재에는 세 사람이 모여 있었고 민수는 다른 방에서 스피커를 이용해 대화를 나눴다. 민수가 함께 할 수 없는 이유는 순영이 자신을 알아보기 때문인 것을 박 형사도 선우도 알고 있었다.

민수의 목소리가 들렸다.

"순영씨는 이번 드림슬립에 참여하지 않으셔도 됩니다."

뜻밖의 소리에 그 자리에 모인 사람들이 의아해했다.

"저 때문에 일어난 일인데 제가 드림슬립을 하지 않다니요?"

순영이 되물었다.

"이번 드림슬립은 순영씨의 꿈에서 이뤄지지 않습니다. 김태련 교수 꿈에 상황을 설정할 겁니다. 순영씨는 단지 김태련을 속이기 위해 상담소에서 이루어지는 1차 최면에만 참여하시면 됩니다."

이번에 박 형사가 물었다.

"김태련에게 드림슬립하려면 그에 대한 구체적 정보가 있어야 하는데 파악했어요?"

"아직 못했습니다. 그러나 알아낼 것입니다."

"만약 꿈 설정을 김 교수에게 했다고 하더라도 김태련이 정말 유태수인지 어떻게 확신할 수 있어요? 꿈속에서 유태수는 지금과 전혀 다른 모습일 텐데?"

"맞아요. 박 형사님 말씀이. 소장님을 믿지 못해서가 아니라 제가 드림슬립을 해야 유태수를 정확하게 알 수 있어요. 저로 인해 시작된 일이니, 저도 꼭 참여해야 합니다."

순영이 박 형사 말에 거들었다.

민수는 순영이 있기에 자신이 김태련과 유태수를 모두 알고 있음을 그 자리에서 차마 말하지 못했다.

"순영씨에게는 드림슬립보다 더 중요한 일을 맡기려고 합니다. 우리 계획의 성공과 실패는 그 일에 달렸습니다."

*

민수는 '마지막 드림슬립' 계획을 설명했다.

우선은 김태련이 맡겨 놓은 고양이에게 최면 훈련을 시켜 놓는 일이다. 그래야만 고양이가 김태련에게 인계되었을 때 자연스럽게 최면을 걸 수 있게 된다. 그 일을 수행 할 사람은 순영이다. 민수가 고양이를 맡아 며칠에 걸쳐 훈련을 시켜 놓으면 순영은 고양이를 김태련에게 보여줄 때 최면을 걸어야 한다. 디데이(D-day)는 주말 저녁 식사 후였다.

다음으로 해야 할 일은 정보 유출이다. 김태련을 속이기 위해 평상시처럼 상담실을 운영하고 있어야 했고, 순영의 상담과 최면

암호가 여전히 선우에게로 설정되어 있어야 했다. 그래야만 폐쇄회로 카메라와 휴대전화기를 통해 정보를 입수하고 있는 김태련의 의심을 피할 수 있다.

가장 어려운 것은 따로 있었다. 드림슬립이다. 이번의 경우 꿈 설정 장소를 김태련 즉, 유태수의 과거 기억에서 설정할 것이다. 왜냐하면 유태수의 치명적 트라우마를 끄집어내 압박을 주기 위함이다. 이것을 맡을 사람은 오직 민수밖에 없었다. 숙명이다. 두 사람은 다시 만나야만 했다.

정리해 보면 유태수를 유인하기 위해 평소처럼 순영의 꿈에 접속하는 것처럼 암시한 최면을 유태수의 기억에서 삭제하고 유태수의 과거 기억을 끄집어내어 그의 상황으로 재설정해야 한다. 이때 외적 변수나 불완전한 수면 상태로 인해 깨어날 위험이 있기에 최대한 짧은 시간 내 꿈 설정과 암시를 걸어야 한다. 민수도 성공을 자신할 수는 없지만, 달리 뾰족한 수가 없었다.

마지막으로 선우의 역할이다. 선우는 자기공명과 레볼루션 현상이 일어나는 것을 통해 외부 침입 여부를 알 수 있다. 꿈에서 선우는 침입이 일어나는 상황을 민수에게 알려주어야 한다. 디데이(D-day)까지 시간이 촉박했다.

「D-day」

박 형사로부터 김태련이 귀국했다는 연락이 왔다.

날씨가 유난히 맑고 쾌적한 날이었다. 순영과 김태련의 약속 시간은 저녁 7시다.

민수는 순영에게 전화를 걸어 김태련이 알 수 있도록 상담 시간을 유출했다. 시간은 오후 5시. 가짜 상담을 통해 김태련이 오늘 밤 아무런 의심 없이 행동할 수 있도록 유도하기 위함이다. 핵심은 저녁 식사가 끝나고 김태련은 반드시 고양이를 보아야 한다. 어떻게 해서라도 순영은 그 일을 해내야만 했다.

「저녁 7시」

순영과 김태련이 만났다. 식사하는 동안 순영은 소화가 잘되지 않았다. 긴장해서 그런지 두통까지 일었다. 순영은 내색하지 않으려 참고 있었다. 그 모습이 불편하게 보였는지 김태련이 말을 건넸다.

"어디 불편하세요?"

"아니에요. 오늘따라 피곤해서요. 좋은 자리 만들어 주셨는데 죄송합니다."

"아닙니다. 그것도 모르고 제가 일방적으로 약속을 잡아 죄송합니다. 그러면 일어나시죠? 식사도 마쳤는데 들어가 쉬셔야죠."

김태련은 불편해 보이는 순영을 배려해 주었고 자신의 차로 데려다주었다. 동물병원을 지날 때쯤 순영이 태련에게 말했다.

"병원 입구에 잠깐 세워주세요. 고양이 데려가셔야죠?"

"아니에요. 다음에 데려가죠."

"그러면 잠시만요. 얼마나 좋아졌는지 잠깐 보여드릴게요. 엄마를 오래 기다렸잖아요. 고양이도."

순영은 극구 한번 보고 가라며 김태련을 설득했다.

*

잠시 후, 순영이 고양이를 안고 태련의 차에 올랐다. 얼마나 잘 돌보았는지 살도 토실토실 오르고 털에 윤기가 흘렀다. 커다란 눈이 예쁜 페르시안 고양이. 김태련도 고양이 눈을 유난히 예뻐했다.

태련이 고양이와 눈을 마주쳤다. 고양이도 태련을 뚫어지게 바라봤다. 단 10초만 집중할 수 있도록 버텨주면 된다. 때마침 차 안에는 쇼팽의 '바람의 요정' 전주곡이 흘러나왔다.

고양이는 김태련의 눈을 주시하며 무섭게 하악질을 했다. 고양이의 뜻밖의 행동에 잠시 놀란 김태련은 고양이를 달래려고 다시 눈을 맞췄다. 고양이 역시 뚫어지게 태련을 바라보았다. 순영은 이때를 놓치지 않고 검지로 테시보드를 일정하게 톡톡 쳤다. 카운트가 시작되었다. 김태련이 고양이 눈에서 벗어나지 않도록 마음속으로 숫자를 세었다. 10초만 버텨주면 된다. 10.9.8…. 숨막히는 시간이다. 금방이라도 김태련이 유태수로 변해 자기 목을 조를 것만 같았다. 마치 시간이 멈춘 것처럼 더디게 느껴졌다.

김태련이 고양이를 안은 채 잠시 눈을 감았다. 음악을 감상하는 것인지 최면에 걸린 것인지 아직은 알 수 없었다. 잠깐의 시간이지만 불안감이 극에 달했다.

용기를 내어 순영이 김태련 품에서 조심스럽게 고양이를 빼냈다. 그때까지도 반응이 없자 자리에서 슬쩍 빠져나왔다.

차 안에 김태련만 있을 때 옆자리에 누군가 올라탔다. 민수였다. 그는 잠시 태련의 얼굴을 물끄러미 바라보았다. 무슨 생각을 했을까. 민수는 태련의 손을 잡고 천천히 무언가를 말했다. 자세히 보니 태련도 민수가 이끄는 대로 따라서 말하고 있었다.

김태련 눈앞에 몽현동 300번지의 팻말이 보였다. 문을 밀치고 들어서자, 바닥이 꺼진 것처럼 밑으로 끝없이 떨어졌다. 찰나였다. 잠시 정신을 잃었다가 눈을 떴을 때는 칠흑같이 어두운 공간이었다. 그때 암흑 속에서 익숙한 목소리가 들려왔다. 아버지의 목소리였다.

"되돌릴 수 있어. 아이를 찾아 태수야!"

"이곳에서 벗어나려면 네가 있던 곳으로 가야 찾을 수 있어!"

"그곳이 어디야?"

끊임없이 반복해서 들리는 소리에 태수 입에서는 자신도 모르게 '대성동 산 20번지.'라는 말이 흘러나왔다.

"빛을 따라가. 그곳에 문이 있어."

민수는 짧은 시간 최면을 통해 태수의 약점이 숨어있는 장소를 찾아냈다.

잠시 후, 눈을 뜬 김태련은 방금 자신에게 무언가 일어났다는 것을 직감했지만 기억이 흐릿했다. 차 안에는 자신만 있을 뿐 순영도 고양이도 보이지 않았다. 재빨리 동물병원 안으로 뛰어 들어갔지만, 감쪽같이 사라진 후였다. 순영에게 속았다는 생각이 들자, 화가 치밀었다.

집으로 돌아온 김태련은 독한 양주를 연거푸 들이켰다. 사그라지지 않는 분노를 좀처럼 잠재울 수 없었다.

얼마의 시간이 지났을 때 순영으로부터 문자 메시지가 도착했다.

“몽현동 300번지. 빛을 따라가. 태수야!”

문자를 본 순간 자신의 정체를 들켰다는 것에 김태련은 헛웃음이 나왔다. 제대로 한 방 얻어맞은 느낌이었다. 그리고 무의식적으로 읽은 내용이 2차 최면 암시였다는 생각이 들자 완전히 농락당한 기분이었다. 그래도 지금 잠들지 않으면 된다. 오늘 밤을 버티면 된다는 생각으로 잠을 이겨내려 했지만 먼 여정으로 인한 피로와 급하게 마신 술기운 때문에 졸음을 이길 수는 없었다.

잠든 김태련은 몽현동 300번지 앞에 도착했다. 문을 열고 들어서자, 데자뷔처럼 한없이 밑바닥으로 떨어지는 일이 일어났다. 극도의 공포감을 느꼈다. 칠흑같이 어두운 공간에 도착했고 멀리서 작은 빛이 보였다.

김태련이 빛에 다다르자, 빛은 ‘대성동 산20번지’라고 쓰인 또 다른 문이었고 다시 문을 열고 들어서자 보인 것은 어린 시절 자신이 살던 동네였다.

가난과 역겨움이 풍기는 곳이다. 지금까지 한 번도 꾸어보지 않은 꿈이고 꾸고 싶지 않은 꿈이었다. 봉인이 풀린 것이다. 김태련은 자신이 왜 이곳에 있는지 아직은 몰랐다.

*

아주 짧은 시간 동안이었지만 환영이 보였다. 불이 꺼진 집안에서 혼자 울고 있는 아이의 모습이다. 어린 날 자신이었다. 아이를 찾아 곁으로 다가서자 어느새 아이는 사라지고 오롯이 성인의 유태수만 남게 되었다. 그제야 의식이 점점 뚜렷해지기 시작했다.

분명 태수는 오늘 밤 순영을 해치우기 위해 드림슬립 할 작정이었다. 그런데 이곳은 자신이 예상했던 순영의 꿈이 아니었다. 어디서부터 계획이 틀어졌는지 알 수 없었다.

그때 박 형사와 민수가 나타났다. 함정이었다. 그러나 순영의 모습은 보이지 않았다. 태수는 조금 전과는 달리 당황하지 않았다. 겁내기는커녕 어차피 겪을 일처럼 대수롭지 않은 모습이었다.

민수가 말했다.

“형? 오랜만이야. 아니지. 교수님이라고 해야 하나.”

“민수구나! 이렇게 보니 반갑다.”

“형 덕분에 내가 많이 배웠어. 잘 가르쳐줘서.”

"그래? 다행이네. 너는 내가 덜 미워했지. 대학에서 너를 보고 얼마나 반가웠는데 ……."

"나도 아쉬워. 그때 내가 알아봤어야 했는데 모습이 바뀌었으니 어찌 알 수 있었겠어?"

"하하하 그 정도로 놀라기는."

"사실이야? 끔찍한 일을 당한 게?"

민수는 슬슬 태수의 화를 돋웠다. 하지만 태수는 침착하니 맞대응하지 않았다. 도리어 민수를 보며 순진하다는 듯 웃었다.

"성전환 말이니? 알고 싶어? 궁금해?"

태수가 오히려 빈정거렸다.

"완벽한 계획이었거든."

태수가 계속해서 말했다.

"학위를 마치고 한국으로 오고 싶었지. 왜냐하면 순영이를 만나야 했으니까. 그런데 한국에서 몇 가지 저질러 놓은 일이 있어서 찝찝했어. 어렸을 때라 괜찮았지만 지금은 다르잖아. 그래서 위험을 감수했지. 너도 태국 가봤잖아? 그쪽 친구들에게 좀 부탁했지. 생각했던 것보다 일 처리를 잘하더라고. 덩달아 신장도 하나 떼어 가면서 말이야. 오히려 그 덕분에 누구도 의심하지 않더군."

태수는 지독했다. 어린 시절부터 자신이 원하는 것은 기필코 해야 했고 마음에 들지 않으면 어떤 짓도 서슴지 않았다. 성인이 되어서도 그 버릇은 여전했다.

민수는 태수의 말을 듣고 있자니 속이 울렁거렸다. 그때 옆에 있던 박 형사가 태수를 향해 달려들었다. 분을 참지 못하고 덤벼든 것이다. 태수가 쇠 파이프로 박 형사의 머리통을 내리치자, 한방에 고꾸라졌다. 그 모습에 민수는 온몸으로 태수를 막으며 넘어뜨렸다. 서로의 주먹이 여러 차례 오가다 벽돌을 집어 든 태수가 민수의 머리를 내리쳤다.

"너한테는 감정 없다. 순영이 어딨어? 나는 순영이한테 빚을 받아야겠어. 나를 수치스럽게 했어. 똑같이 한번 느껴봐야 해. 어딨어? 순영이!"

그때 쓰러져있던 박 형사가 비틀거리며 일어나 태수를 밀쳤다. 옆으로 넘어진 태수가 다시 쇠 파이프를 집어 들자, 박 형사는 권총을 꺼내 겨눴다.

"안 됩니다. 총은…."

민수가 정신을 차리며 말렸다.

태수는 겁내지 않았다. 그들이 쏘지 못할 것이라고 여긴 듯 마치 들개처럼 덤벼들었다.

"탕! 탕!"

정확히 두 발의 총성이 울렸다. 모든 소란을 잠재우는 소리였다. 박 형사가 방아쇠를 당긴 것이다. 바닥에 쓰러진 태수는 악을 쓰며 몸부림쳤다. 그를 보며 박 형사가 말했다.

"죽이지만 않으면 되는 거잖아. 꿈에서 깨면 멀쩡할 테니. 그래도 지금 고통은 느끼겠지. 실컷 느껴봐. 내가 주는 벌이니까."

박 형사는 태수를 흠씬 두들겨 팼다.

"왜 죽였어? 우리 아버지!"

태수가 입 안에 고인 피를 내뱉으며 말했다.

"방해자니까."

그의 대답은 허무했다.

"당신 아버지인 줄 그때는 몰랐어. 얼마 전에 알았으니까. 지난번 드림슬립 했을 때 보았지. 우리 골목에서 만났었잖아. 기억 안 나? 나는 기억하는데."

박 형사의 입에서 작은 소리가 새어 나왔다.

"그 향기가 너였구나!"

박 형사 몸이 부르르 떨렸다. 주체하기 힘든 분노가 일었다. 마치 모래 자루를 치듯 태수를 향해 사정없이 주먹을 퍼부었다. 민수도 그 모습을 보고 말리지 않았다.

잠시 후, 민수가 태수에게 물었다.

"도대체 죄 없는 사람들은 왜 죽인 거야?"

태수는 한심하다는 듯 고개를 가로저었다.

"죄가 없어? 살인만이 죄가 아냐. 양심을 파는 것도 죄고, 윤리를 벗어난 것도 죄야. 아니라고 하지 마. 그 여자들은 비양심. 허영에 찌든 죄인이야. 세상에 알려지면 지탄받을 여자들이라고. 알기나 해? 그래도 내가 선의를 베푼 거야. 적어도 가족들은 모르게 처리했잖아."

태수는 말도 안 되는 괴변을 쏟아냈다.

그 말을 듣고 있던 박 형사가 유태수의 머리에 권총을 들이댔다.

"인간을 성별로 구분하여 핍박하고 차별하는 것은 옳지 않아. 인간이 인간으로서 존중받을 자격은 타인을 해하지 않는 일을 하며 살아갈 때야. 그것이 선이고 그것이 인간다움이야. 너는 그 권리를 포기했어. 넌 사람이 아냐!"

박 형사는 울분을 토해내며 말을 이었다.

"삶에 있어 과거는 요약과 편집이 되지만 미래는 편집되지 않아. 미래는 모든 가능성이 열려있기 때문이지. 타인의 인생을 함부로 속단하지 말아야 했어. 하나의 행동이 모든 것을 대변할 수는 없는 거야. 속단은 범죄야. 의식의 범죄."

"그들은 당신이 생각하는 그런 사람들이 아니었어. 유태수 당신은 그들을 속단했고 그 잘 못 된 생각으로 사람을 죽인거야. 단죄의 대상은 너야. 이 개자식아!"

박 형사는 권총으로 태수의 얼굴을 후려쳤다.

"그런 말은 집어치워. 훈계하려 들지 마. 충고하고 싶다면 지금이 아니라 어렸을 적 했어야지. 그때는 누구도 그런 말을 하지 않고서 이제 와서 헛소리야.”

태수는 항변하듯 소리쳤다. 그러더니 묘한 웃음을 지었다.

“이제 곧 슈팅 시간이야. 시간이 얼마 남지 않았다고. 꿈에서 깨면 모든 건 사라져. 그 뒤 어떤 일이 벌어질지 생각해 봤어? 너희는 아무것도 얻을 게 없어!”

민수가 기다렸다는 듯 말했다.

“형은 이곳에서 벗어날 수 없어. 이 꿈이 마지막일 거야.”

“무슨 소리야?”

*

민수는 고양이를 이용해 태수에게 일시적으로 최면을 걸었다. 동물을 이용한 최면은 가수면 상태로써 완전한 최면은 추가로 시행해야 했다. 가수면 상태는 의사소통이 가능하다. 이때 민수는 태수가 숨기고 있는 과거 기억을 끄집어냈다. 이를 바탕으로 태수의 과거 속 한 장면에 초점을 맞추어 꿈을 설정하고 1차적으로 최면을 걸어 놓았다. 이후 순영을 통해 메시지를 보내게 하여 2차 암시를 주어 드림슬립 시킨 것이다.

유태수는 민수의 말을 듣고 자신이 완벽하게 당하였음을 깨달았다. 역습을 당한 꼴이다. 그렇지만 아직 기회가 없는 것은 아니다. 정해진 슈팅 시간이 되면 모든 게 정상으로 되돌아간다.

꿈에서 깰 수 있는 것이다. 그 점을 잘 알고 있기에 태수가 미소를 지었다.

그러나 그의 예상은 처참하게 빗나갔다.

“형은 죗값을 치러야 해. 조금 있으면 알게 될 거야. 기대해!”

태수가 깨어나면 모든 것이 물거품 되고 만다. 그래서 민수는 자신이 생각했던 마지막 계획을 실행하기로 마음먹었다.

*

민수가 시계를 보더니 박 형사에게 다가가 조용히 말했다.

“마지막 부탁이 있습니다.”

“무슨 부탁. 하려면 꿈에서 깬 다음 하라고. 여기서 말해봐야 아무 소용이 없어.”

“이제 3분 후면 슈팅 될 겁니다.”

“뭐? 그게 무슨 말이야? 아직 코마 환자에게 저 자식을 가두지도 못했는데. 뭔 소리야?”

“형사님 제 말 잘 들으세요. 코마 환자도 뫼비우스 띠 같은 이중 최면도 더는 없어요.”

“도대체 무슨 소리냐고 그게?”

“형사님도 알고 계시지만 지금 꿈에서 깨면 저 괴물도 다시 깨어납니다. 그러면 이런 일은 끝없이 반복되겠죠. 말씀드렸다시피 누군가는 해야 할 일입니다. 제가 형사님을 속였습니다. 남아서 마무리 지을 테니 순영씨를 부탁합니다. 동생처럼 생각하고 아시겠죠?"

박 형사는 민수의 멱살을 잡으며 되물었다.

"여기까지 와서 왜 그러는 거야! 뭘 속여? 그럴 거였으면 내가 했지. 그딴 소리 집어치워!"

흥분한 박 형사가 태수에게 다시 권총을 겨누자 민수가 그의 손에 든 권총을 거두며 재차 부탁했다.

"형사님 저는 오래 살지 못합니다. 만약 산다고 해도 한 두 달일 텐데요. 슈팅이 되고 나면 아마 지금 일도 기억 못 할지 모릅니다. 내가 누구인지? 형사님이 누구인지? 그나마 있던 기억들조차 모두 사라져 버릴 겁니다. 남은 제 시간을 그렇게 맞이하고 싶지 않습니다. 적어도 제 의지와 생각으로 선택하고 싶습니다. 부탁이니 들어주세요. 아시죠?"

"야! 김민수 이러지 말자! 여기서 못 잡으면 현실에서 다시 잡으면 돼. 다시 생각해!"

*

시계의 초침이 0이 되는 순간 슈팅이 일어났다.

민수를 잡고 있던 박 형사가 안개처럼 사라졌다.

이번 드림슬립 계획의 핵심은 따로 있었다. 가상의 인물 코마 환자에 관한 이야기는 민수의 거짓말이었다. 박 형사를 안심시키기 위한 설정이었다. 그런 것은 처음부터 불가능했다. 현실은 판타지가 아니다.

처음부터 민수는 끝을 각오하고 뛰어들었다. 그래서 순영을 제외한 것이고 슈팅 시간 설정도 달리했다. 민수는 3시간이었지만 박 형사는 2시간으로 설정해 놓았다.

이제 남은 것은 괴물이 되어버린 태수와 민수뿐이었다. 보육원에서 함께 자랐지만 이제까지 살갑게 말해 본 적이 별로 없었다. 그래도 태수는 민수에게 모질지 않았었다. 아마 자신을 보는 듯해서 그랬을 수도 있다. 사실 어린 시절 판자촌 불로 인해 민수 역시 가족을 잃고 혼자 살아남았다. 너무 어린 나이라서 기억하지 못하고 있을 뿐 불길에서 온몸이 익어가며 민수를 데리고 나온 어머니 덕분에 구한 목숨이다. 이것은 태수가 숨기는 있는 또 하나의 비밀이었다. 반면 부모에 대한 기억이 없는 민수였지만, 사람에 대한 애착과 선함을 추구한 것은 어머니의 희생을 헛되게 하고 싶지 않아서였다.

인간의 얼굴에는 선과 악이 동시에 존재한다. 둘 중 어느 쪽을 보여주며 살아갈지는 자신이 선택할 수 있다. 선만 보여주고 살지, 악만 보여주고 살지, 아니면 선과 악을 번갈아 가며 교묘히 살아갈지 오롯이 선택은 자신의 몫이다. 어쩌면 태수도 민수에게 만큼은 선을 보여주려 했을지 모른다.

자신의 꿈에 갇혀버린 태수는 총알이 박혔는데도 불구하고 고통을 느끼지 못하는 사람처럼 보였다. 태연히 담배를 물고 있는 모습이 오히려 평온해 보였다.

민수가 태수를 보며 물었다.

"왜, 나한테 잘해줬어?"

"글쎄……."

태수는 묘한 표정을 지을 뿐 더 이상 말이 없었다.

민수는 궁금한 게 있는 듯 태수에게 다시 물었다.

"그동안 순영이에게 어떻게 드림슬립 했어? 채널러도 없이."

태수는 제자에게 마지막 수업을 하듯 차분히 설명했다.

"내가 순영이 꿈에 드림슬립 했던 것은 두 번밖에 되지 않아. 그 두 번째가 이렇게 됐지만…. 아마도 순영이가 꾸었던 꿈은 과거를 되살려낸 자기망상일거야."

민수가 재차 질문했다.

"상담소 고객들은 어떻게 한 거야? 악몽을 자주 꾸었다는데?"

태수가 측은하게 민수를 바라봤다.

"민수야? 그들이 꾸었던 악몽을 내가 드림슬립해서 만들었다고 생각하니? 그렇지 않아. 그들 스스로 죄책감으로 인한 망상이겠지. 저 양심이라는 무의식이 보낸 시그널인 꿈으로 말이야. 따지고 보면 그들은 내가 나타나서 악몽을 꾸었던 게 아니라 살아가는 현실이 그들에게는 악몽 같기에 그런 거 아니었을까"

민수는 아무 말도 하지 못했다. 침묵이 흘렀다.

태수가 말했다.

"내가 복수 하고 싶었던 사람은 따로 있었어."

"그게 누군데?"

"배정애! 그런 일을 하는 사람은 겉과 속이 다른 사람이야. 그 여자와 같은 사람들이 제때 약속을 지켰더라면 내 아버지는 그렇게 죽지 않았겠지. 그들은 어려운 사람들에게 도와 줄 것처럼 말하고 동정하면서 실제는 그러지 않아. 오히려 자기들의 이익 때문에 힘없고 가난한 사람들을 말로 속여 가며 헛된 희망을 품게 하고 고통을 주고 있지. 세상은 그렇게 명분과 허울에 잘 속거든. 그 여자 죽음은 내가 주는 벌이야."

"그런 말도 안 되는 편견으로 사람을 죽였단 말이야? 배정애 씨가 어떻게 살았고 어떤 사람인지 잘 알지도 못하면서…. 미쳤어! 형은 미친 거야!"

"그런 생각으로 다른 사람들도 죽인거야?"

"내가 그런 게 아니야."

"무슨 소리야 그건? 형이 아니라면 누구야?"

"그럼 왜 박 형사가 말할 때 부정하지 않았어?"

"어차피 내가 드림슬립해서 만났더라도 그랬을 테니까."

그때 드림 룸에 빨간 불빛이 깜박였다. 레볼루션이 일어난 것이다. 누군가 무의식 경계를 넘어 침입했다는 선우의 신호였다.

그런데 이해되지 않는 것은 태수가 이미 잡혔는데 어떻게 지금 레볼루션이 일어났을까. 정말 또 다른 침입자가 있다는 말인가. 도대체 어떤 상황이 벌어진 것일까?

민수의 낯빛에 초조함이 묻어났다. 지금 드림 룸에서 벗어 날 수도 없고 슈팅을 해도 무엇 하나 할 수 있는 게 없었다. 어떻게 해야 할지 좀처럼 생각이 떠오르지 않았다.

그 모습을 지켜보던 태수가 물었다.

"무슨 일이야?"

"레볼루션이 일어났어!"

"방금 레볼루션이라고 했니?"

"레볼루션을 알아?"

"내가 주장한 이론인데 그걸 모를까?"

"수업 때는 그런 얘기 없었잖아!"

"나도 아직 완벽히 검증하지 못 한 걸 가르칠 수는 없지."

태수는 잠시 쉬었다 말했다.

"레볼루션은 이론만 존재해. 하지만 가능성은 있지. 엄밀히 말하면 의식의 경계 공간이 허물어지는 뒤틀림 현상이야. 그런데 정말 레볼루션이 일어났다면 큰일인데…."

이번에 민수가 질문했다.

"그것이 왜 일어나는 거야? 허락되지 않은 꿈 접속이 있을 때 일어나는 거잖아. 형이 지금 여기 있는데 어떻게 일어날 수 있어? 다른 누가 있다는 거야?"

민수의 물음에 태수는 진중한 표정으로 말했다.

"잘 들어. 네가 잘 못 알고 있는 게 있어. 내가 드림슬립 했다고 레볼루션이 일어나지는 않아. 정해진 규칙에 따른 드림슬립은 문제가 되지 않거든. 레볼루션은 채널러의 의식 구조에서 벌어진 일이야. 즉 나누어진 의식 구역 중 무의식 경계를 누군가 넘었을 때 일어나는 현상이지."

민수는 처음 듣는 소리였다. 자신이 알지 못했던 영역의 이야기였다.

"외부가 아니라 내부? 무의식의 경계?"

"누가 경계를 넘었다는 거야?"

"아마도 '이드(id)'일 거야. 네 친구 선우!"

"도무지 무슨 말을 하는지 모르겠어? 선우가 그랬다고?"

태수는 설명을 이어갔다.

"채널러를 오래 한 사람은 치명적 부작용이 발생할 수 있어. 그중 하나가 자아분열이야. '이드(id)'는 너도 알잖아. 본능적 무의식을 관장하는 존재지. 채널러의 자아 에고(ego)는 이성적 자아지만 무의식 상태를 지속하다보면 의식의 경계가 약해져. 다시 말해서 의식적 사고가 약해지고 무의식의 세계가 점점 강해지거든. 이때 무의식 구역에 갇혀있던 '이드(id)'의 욕망이 어느 순간 깨어나 폭발하면 경계 구역을 넘게 돼."

"이드(id)는 인간 내면의 원초적 욕구를 만족시키고자 하거든. 에고(ego)보다 몇 배나 힘이 세. 대표적으로 거친 폭력성과 살인, 성욕이 이드(id) 자체야. 아마 선우의 꿈에서 다른 살인 사건이 일어났다면 그것은 분명 무의식 경계를 넘어온 또 다른 선우일거야!"

민수는 태수의 말을 듣자, 그 동안 일들이 한 순간 이해됐다. 결국 유태수 이외 다른 살인자가 있었다. 그놈이 연쇄살인의 주범이다. 그것도 친구인 선우의 또 다른 존재 이드(id)였다.

"어떻게 해야 해? 어떻게 막을 수 있냐고?"

"너에게 필요한 건 시간이야. 슈팅 시간이 얼마나 남았니?"

"30분 정도."

무슨 생각을 하는지 잠시 동안 한 곳을 바라보던 태수가 말했다.

"저기가 어딘지 아니?"

그곳은 태수가 어린 시절 살던 곳이다. 불을 질러 짐승들을 태워버린 집이었다.

태수는 무언가 결심한 듯 민수에게 그곳까지 데려가 달라고 부탁했다. 민수의 마음은 조급했지만 태수의 얼굴을 보고 아무 말 없이 등에 업었다. 마치 아버지 등에 업힌 아이처럼 태수는 민수의 등에 얼굴을 기대고 지그시 눈을 감았다.

태수가 말했다.

"지금부터 내 얘가 잘 들어. 오늘 네가 나에게 하려 했던 것을 너는 '이드(id)'를 만나면 해야 해. 방법은 그것밖에 없어. 또한 네가 내 꿈에서 당장 나가는 방법은 꿈의 주인인 나를 죽여야 가능해. 그러면 너는 이 드림 룸에서 나가 선우가 있는 곳에 갈 수 있어. 그곳에서 이드가 침입한 드림 룸을 찾아. 몽현동 300번지 설계자인 너는 가능할 거야."

"수많은 방에서 어디에 있는지 어떻게 알지?"

"잘 생각해 봐. 마지막 사건이 발생한 곳이 누구의 꿈이었니? 나만 순영이를 죽이려고 한 게 아니야. 내가 만난 것이 '이드'였다면 '이드'는 분명 그곳에 있을 거야. 그렇지 않다면 운에 맡길

수밖에….”

민수는 태수의 말에 한 가지 생각이 불현 듯 스쳤다. 낮에 심리상담소에서 최면을 걸었던 대상은 순영이었다. 태수의 꿈을 설정하느라 미처 순영의 꿈 설정을 삭제하지 못했다. 치명적인 실수였다. 다행히 드림슬립을 하지 말라고 당부했고 암시 메시지를 보내지 않았다. 그렇지만 순영이 약속을 어기고 드림슬립 했다면 그것은 태수의 꿈이 아니라 자신의 꿈으로 드림슬립 되었을 것이다.

*

민수는 마음이 괴로웠다. 태수가 죽어야 빠져나갈 수 있는 현재 상황과 그녀의 꿈에 ‘이드’가 있을지 모르는 상황에서 어떤 선택을 해야 할지 망설여졌다.

그 사이 태수는 아무 말 없이 악몽의 발원지였던 그 집으로 절룩거리며 걸어갔다.

“형? 태수 형?”

민수의 부름에도 뒤돌아보지 않고 한 손만 올렸다 내리고 묵묵히 들어갔다.

잠시 후, 어린 시절 태수가 그랬던 것처럼 판잣집에 불이 올랐다. 불기둥은 거칠 것 없이 ‘활활’ 치솟았다. 그 속에 악몽 같은 삶을 살았던 태수도 함께 있었다.

제24장

실 체

한편 순영은 자신 때문에 모두가 위험에 처했다고 생각했다. 상담소장이 자신을 드림슬립 시키지 않은 것을 이해는 하지만 스스로가 용납되지 않았다. 그래서 자가 최면을 통해 2차 암시를 주고 잠을 청했다. 그러나 순영은 민수가 자신의 꿈이 아니라 태수의 꿈에 드림슬립한 것을 미처 알지 못했다.

"몽현동 300번지. 246번째 한진동 세화 골목 밤 10시."

잠든 지 얼마 지나지 않아 몽현동 300번지가 보이자 순영이 문을 열고 들어섰다. 익숙한 그곳에 예상과 달리 상담소장도 박 형사도 태수도 보이지 않았다. 순영은 평소처럼 익숙하게 골목을 거슬러 올라갔다. 아무리 주변을 살피고 둘러보았지만 너무도 고요했다. 마치 자신 이외에 누구도 없는 것처럼 느껴졌다. 오히려 지나친 적막함에 두려움이 엄습했다.

그때 골목 위에서 요란한 소리를 내며 오토바이가 거침없이 달려왔다. 순영이 옆으로 피할 겨를도 없이 그대로 들이받았다. 정신 차릴 수 없을 만큼 충격이 컸다. 숨쉬는 것조차 온몸에 통증이 느껴지는데 그 모습을 보며 웃고 있는 사람이 있었다.

"선우씨?"

그는 도와주거나 일으키려는 마음이 없어 보였다.

“선우씨가 왜 저를….”

평소와 달리 유난히 창백한 흰 피부색의 사내가 말했다.

“선우? 그게 누군데? 찾아봐야 소용없어. 우리뿐이야.”

사내는 쪼그려 앉은 채 연신 담배 연기를 순영의 얼굴에 뿜으며 히죽거렸다.

얼굴은 선우인데 날카로운 눈매와 알 수 없는 표정은 소름 끼치도록 섬뜩했다. 짧은 순간이었지만 지난번 드림슬립에서 태수로부터 구해준 사람도 이 얼굴이었다. 그러고 보면 지난번의 행동이 자신을 보호해 준 것이 아니라 해치려던 또 다른 사람이었던 것이다.

“하고 싶은 거 있어? 내가 다 해줄게. 말해봐.”

선우는 불쑥 순영의 가슴을 움켜쥐었다. 치욕스러운 장난에 발버둥을 쳤지만 그는 이것을 즐기는 듯 보였다. 현실에서 본 선우의 모습이 아니었다. 순영이 아는 그는 가엽고 선한 사람이었다. 그럼 이 사람은 누구인가.

다른 쪽에선 태수의 죽음으로 민수가 드림 룸에서 슈팅 되었다. 최종 슈팅이 되기까지는 20분도 남지 않았다.

갑작스럽게 몽현동 300번지 로비에 나타난 민수를 보며 선우가 말했다.

"어떻게 된 거야? 왜 여기에?"

"시간이 없어! 나중에 말할게. 우선 순영씨가 드림슬립 된 드림 룸을 알려줘? 어디에 있어!"

"무슨 일인데 그래? 얘기 좀 해봐."

민수의 다급함을 모르는 선우는 계속해서 물었다.

"빨리! 그곳이 어디야? 순영씨가 위험해!"

선우는 영문도 모른 채 드림슬립 구역으로 안내해 주었다.

"여기야. 나는 들어갈 수 없어. 무슨 상황인지는 몰라도 조심해 민수야!"

저렇게 선한 선우의 내면에 또 다른 악마가 있다는 것이 믿기지 않았다.

민수가 246번째 드림슬립 룸을 열고 들어서자, 골목 아래 처참히 망가진 순영이 보였다. 다른 생각을 할 겨를도 없이 순영을 덮치고 있는 사내를 향해 달려가 걷어찼다.

사내가 일어서며 민수를 노려보았다. 영락없는 선우였다. 지나치게 흰 피부색을 제외하고는 '이드'라고 믿기지 않는 모습이었다.

"뭐 하는 거야?"

"친구. 이제 왔어?"

너무도 천연덕스러운 말투와 표정의 또 다른 선우였다.

"거기서 떨어져! 그 여자 건들지 말라고!"

"나야. 네 친구."

'이드'는 민수를 알고 있었다. 그도 그럴 것이 선우의 무의식 속에 소중한 친구로 각인된 민수였기에 당연한 일이다. '이드'는 민수를 보고 섣불리 공격하지 않았다. 하지만 문제는 이성이 지배하는 민수와 본능이 우선인 선우의 '이드'가 순영을 놓고 대립하고 있다는 점이다.

사실 문제 해결은 간단하다. 순영과 함께 민수가 슈팅하고 선우의 최면을 풀어 몽현동 300번지를 영원히 삭제하면 된다. 그러나 지금 상황에서 그것은 불가능하다. 얼마 남지 않은 시간 때문에 민수가 먼저 슈팅되면 남겨진 순영은 죽게 될 것이다. 그렇다고 힘으로써 '이드'를 막는 것도 쉽지 않다.

민수가 대화를 시도했다.

"이드? 아니 선우야! 이러지 마. 우리 친구잖아. 그리고 저 여자는 내가 사랑하는 사람이야. 너도 알잖아?"

이드가 대답했다.

"친구는 알겠는데 사랑이 뭐야?"

민수가 다시 말했다.

"우선 진정하고 내 말을 들어봐. 너는 여기 있으면 안 돼! 이곳으로 오기 전 있던 곳으로 가."

"왜 안 돼. 이곳도 나인데?"

"잘못 알고 있어. 여기는 아니야."

"무엇을 잘 못 알고 있다는 말이야. 너는 내가 있던 곳이 어떤 곳인 줄 알기나 해?"

"그곳은 빛도 소리도 없는 암흑이야. 저주받은 몸에 갇혀 철저하게 고립된 곳에서 끝 모를 시간에 갇혀 있어봐. 무슨 생각이 드는지. 나는 잉태될 때부터 있는 존재야. 너도 알 거 아니냐? 그런 내가 욕구인 내 일에 충실하고 있는데 그것이 잘못이야?"

선우가 말했다.

"그래서 살인을 한 거야? 그건 말도 안 되는 소리야."

'이드'가 폭발하듯 말했다.

"말이 안 돼긴 뭐가 안 돼! 생각해 봐. 나 혼자 힘으로 경계를 넘은 것 같아? 절대 아냐!"

"누구에게나 '이드'는 있지. 그렇다고 너처럼 사람을 죽이지는 않아. 그 힘을 선에 쓰지 악에 쓰지 않는다고."

민수는 '이드'를 설득하려 애썼다.

"선과 악. 편리한 생각이군. 선악은 애초부터 없어. 상황적 힘에 의한 거지. 나를 해방시킨 건 바로 너야. 안 그래? 처음부터 채널러로 나를 선택하지 않았다면 이런 일도 없었겠지.”

아무리 ‘이드’와 대화를 해봐야 소용없었다. 이미 바로 잡을 수 없는 사태까지 치달았다. 처음부터 다른 존재와 타협하는 것은 불가능한 일이었다.

민수는 상황을 빨리 끝내야 했다. 그때 순영이 태수에게 주입하려고 준비한 독극물이 든 주사기를 ‘이드’의 등에 꽂았다. 순영 역시 비장한 마음으로 드림슬립을 단행했던 것이다. 그런데 이대로 ‘이드’가 죽게 된다면 현실에서 순영은 살인을 한 자신을 자책하며 불행해질 것이 뻔했다. 최악의 상황은 막아야 했다.

민수가 마지막 선택을 해야 할 때가 다가왔다.

순영에게 말했다.

“저런 것으로는 ‘이드’를 죽일 수 없어. 여기는 내게 맡겨. 우리는 지금 여기서 나갈 거야. 나를 믿어. 무슨 일이 벌어지더라도 뒤돌아보지 마! 어차피 꿈이야. 깨어나면 아무렇지 않을 거니까. 절대 돌아보지 마! 절대로.”

순영이 고개를 돌린 순간 민수는 ‘이드’에게 돌진했다. 박 형사로부터 빼앗은 권총으로 그를 향해 두 발을 쏘았다.

“미안해. 선우야!”

“탕탕”

그리고 마지막 한 발을 자신의 머리에 겨눴다.

"미안해. 누나!"

"탕"

몽현동 300번지가 붕괴되기 시작했다. 순영도 슈팅 되었다.

민수의 흐려지는 기억 속에 지난날이 빠르게 스쳐갔다.

제25장

완벽한 설계

민수를 꿈속에 남겨놓고 순영도 박 형사도 깨어났다. 현실에서 민수가 어디 있는지 순영은 여전히 알지 못했다.

한편 심리상담소 거울 뒤편에 있는 민수의 몸은 서서히 식어갔다.

몽현동 300번지가 붕괴하고 선우는 깨어났지만, 아무것도 모르는 아이가 되어버렸다. 현실에서 선우는 살아남았지만 이드(id)가 없는 선우였다. 무의식의 잠재 공간이 사라진 선우는 해리성 기억장애를 앓았다. 오직 깨어있는 순간만 의식하고 기억할 뿐 잠을 자고 나면 모든 것이 처음 같은 삶을 반복했다.

자신이 누구인지, 오늘이 며칠인지, 그리고 이곳이 어디인지조차 매일같이 묻고 알아야 했다.

얼마 후 순영은 박 형사로부터 심리상담소장이 죽었다는 사실을 전해 들었다. 한 번도 얼굴을 본 적 없지만 이상하리만큼 그의 죽음에 가슴이 아렸다.

*

순영은 더 이상 어떤 꿈도 꾸지 않았다. 꿈을 꾸지 않기에 민수도 볼 수 없었다. 하루가 그립고 일상이 우울했다.

그러던 어느 날 꽃이 배달되었다. 백합향이 나는 흰 꽃다발

속에 작은 엽서가 꽂혀 있었다. 민수의 글씨였다. '꾹, 꾹' 눌러 쓴 글자가 알알이 박혀있었다.

순영은 왈칵 눈물이 쏟아졌다.

「사랑하는 사람에게」

나도 당신처럼 악몽을 꿨어요.
당신을 볼 수 없는 순간부터
꿈은 시작됐지만 이제는 그것에서 깨어났어요.
지금은 당신에게 갈 수 없지만
더 이상 아프지 않을 거예요.

괜찮아요. 모든 게 잊혀 질 거예요.
나에게도 당신에게도
더 이상 악몽은 없을 거예요.

당신은 행복해질 거예요.
믿어요. 나를 믿어요.
눈감고 되뇌어 봐요.
"그리운 그곳엔 꽃밖에 없어요."
눈감고 되뇌어 봐요.
"그리운 그곳엔 꽃밖에 없어요."

엽서는 순영에게 거는 마지막 최면이었다.

민수는 마지막 드림슬립 전, 죽음을 예견했기에 며칠 후 꽃이 전달되도록 부탁해 놓았다. 순영이 자신을 잊고 행복해질 수 있도록 기억을 지우기 위해서였다.

더욱이 이번 최면은 특별했다. 최면술사가 사라지면 암시를 알 수 없기에 영원히 풀 수 없었다.

*

순영은 엽서를 읽고 잠시 눈을 감았다. 그리고 다시 눈을 떴을 땐 꽃이 들려있을 뿐 다른 생각이 떠오르지 않았다. 오히려 한결 정신이 맑아졌다. 그 옆 바닥에는 순영의 손에서 떨어진 민수의 엽서가 있었지만 아무도 신경 쓰지 않았다. 이내 꽃향기를 한껏 들이킨 순영은 밝아진 얼굴로 흐른 눈물을 훔치며 동물병원 안으로 발걸음을 옮겼다.

*

모든 꿈은 언젠가 깨어난다.

그곳이 현실일 수도 아니면 또 다른 곳일 수도 있겠지만

꿈에서 벗어나는 것은 사실이다.

아무리 지독한 악몽도 언젠가는 끝이 난다.

그러고 보면 사는 게 아무리 지옥 같고 악몽 같아도

이 역시 끝은 있다.

그래서 사람들은 인생을 하룻밤 꿈같다고 말한다.

2년이 지날 때쯤 박 형사에게 문자메시지가 도착했다. 요양병원에서 온 것이다. 의뢰한 환자의 심장 박동이 빨라졌다는 전갈이었다.

시그널 2

작가의 말

과거는 요약과 편집이 되지만 미래는 편집되지 않는다.
삶에 있어 모든 가능성은 열려있다.
타인의 인생을 함부로 속단하지 말아야 한다.
하나의 행동이 모든 것을 대변할 수는 없다.
속단은 의식의 범죄다.